LA FARCE DE MAÎTRE PIERRE PATHELIN

La littérature du Moyen Age
dans la même collection

Adam de LA HALLE,
Le Jeu de Robin et de Marion (texte original et français moderne).
Le Jeu de la feuillée (texte original et français moderne).

Aucassin et Nicolette (texte original et français moderne).

La Chanson de Roland (texte original et français moderne).

CHRÉTIEN DE TROYES,
Yvain ou le chevalier au lion (texte original et français moderne).
Lancelot ou le chevalier de la charrette (texte original et français moderne).
Eric et Enide (texte original et français moderne).

COUDRETTE,
Le Roman de Mélusine.

La Farce de Maître Pierre Pathelin (texte original et français moderne).

Farces du Moyen Age (texte original et français moderne).

Lais de Marie de Marie (texte original et français moderne).

Lais féeriques des XIIe et XIIIe siècles (texte original et français moderne).

Nouvelles occitanes du Moyen Age (texte original et français moderne).

DE LORRIS-DE MEUN,
Le Roman de la Rose.

ROBERT DE BORON,
Merlin.

Le Roman de Renart (2 volumes, texte original et français moderne).

VILLON,
Poésies, nouvelle édition de Jean Dufournet (texte original et français moderne).

VORAGINE,
La Légende dorée (2 volumes).

RUTEBEUF,
Le Miracle de Théophile (texte original et français moderne).

LA FARCE DE MAÎTRE PIERRE PATHELIN

Texte établi et traduit,
introduction, notes,
bibliographie et chronologie

par

Jean Dufournet

GF-Flammarion

On trouvera en fin de volume
un dossier, une bibliographie et une chronologie

ISBN 2-08-070462-1

INTRODUCTION

Ernest Renan a noté, dans un de ses *Essais de morale et de critique* (1854), qu' « il y eut au XVe siècle toute une littérature qu'on pourrait appeler la littérature Louis XI, où la suprême vertu est la finesse, où la grandeur est impitoyablement sacrifiée au succès ». En fait, il faudrait parler plus précisément de la génération de Louis XI dont le *Testament* de Villon, *Les Cent Nouvelles nouvelles, La Farce de Maître Pierre Pathelin* et les *Mémoires* de Commynes sont les plus éclatants témoignages. Michelet privilégie même *Pathelin,* puisque, pour lui, c'est « l'œuvre saillante du XVe siècle, la forte et vive formule qui le révèle tout entier... Fait pour un âge de fripons, *Pathelin* en est le *Roland,* la *Marseillaise* du vol ».

Pièce énigmatique au demeurant. Éclair de génie solitaire et en avance sur son temps selon Jean-Claude Aubailly[1], point d'aboutissement et de maturation, *Pathelin* renvoie à une tradition dont l'origine nous échappe, même si l'on peut, avec Michel Rousse[2], constater l'émergence sociale de la farce au XVe siècle sous l'influence de trois facteurs : un courant théâtral continu tout au long du Moyen Age, des coutumes populaires et des activités ludiques liées au rythme calendaire, une conjoncture historique favorable, car, pour qu'il y ait théâtre, il faut une certaine sécurité et une certaine aisance.

On ne connaît pas davantage son auteur, bien qu'on

ait avancé, sans preuves suffisantes, les noms de Guillaume Alecis[3], de Pierre Blanchet, d'Antoine de La Sale et de Villon[4]. Il est à noter que les deux personnages contemporains de Pathelin et de Villon ont eu tendance à se confondre sous les traits d'un rusé habile, amateur de bons tours, tant dans les *Franches Repues* que dans l'œuvre de Rabelais.

On en situe la première représentation entre 1456 et 1469[5]. Une lettre de rémission, signée par Louis XI avant le 22 avril 1470, atteste déjà la popularité de la pièce :

> « Jean de Costes se trouvait attablé à boire dans l'hôtel de Maître Jean Siller de Tours ; après souper, il s'étendit sur un banc en disant à la maîtresse de maison : « Par Dieu, je suis malade... je veux coucher céans, sans aller meshuy (*maintenant*) à mon logis. » A quoi ledit le Danseur (*qui fut tué dans la bagarre qui suivit*) alla dire au suppliant : « Jean de Costes, je vous connais bien, vous cuidez pateliner et faire du malade pour cuider coucher céans[6]. »

Si, officiellement, il s'agit d'une farce, comme il ressort de l'édition de Pierre Le Caron, vers 1498, *Cy finist la farce de maistre Pierre Pathelin imprimée à Paris par Pierre Le Caron*, ou du titre du manuscrit La Vallière (folio 48), *Cy commence la farce de maistre Pierres Patelin à .V. personnaiges, Maistres Pierres, sa femme, le drapier, le bergier, le juge*, toutefois on a proposé de l'appeler comédie dès le XVIe siècle, témoin les *Deux Dialogues du nouveau langage françois* d'Henri Estienne, et même le manuscrit La Vallière, déjà cité, qui date de la fin du XVe siècle et qui se termine par cette morale que tire le berger :

> Se me trouve, je luy pardonne !
> Il convient tirer ma guestre.
> J'ay trompé des trompeurs le maistre,
> Quar tromperie est de tel estre
> Que qui trompe, trompé doibt estre.
> Prenez en gré la COMEDYE ;
> Adieu toute la compaignie.

D'ailleurs, au cours de notre siècle, les adaptateurs et les metteurs en scène n'ont cessé d'osciller entre ces deux pôles : du côté de la farce, Jacques Copeau et Roger Allard (1922), Léon Chancerel (1938), et même de la commedia dell'arte, avec R. G. Davis (1968), et du cirque, avec G. Paro et son Théâtre de Zagreb (1959) ou avec Jacques Bellay (1970); du côté de la comédie, Édouard Fournier (1872), Denis d'Inès (1941), Pierre Orma (1968), W. Urbain (1965). La même année, en 1970, J. Guimet donnait une vision sombre de la pièce où, selon lui, triomphe le déterminisme social[7], tandis que J. Bellay revenait à la pure farce par une fantaisie débridée, un rythme alerte, une vitalité exubérante, une atmosphère de foire, des maquillages outrés, des lazzi et des sketches de clown.

De surcroît, cette pièce, qui n'a pas de morale explicite et dans laquelle personne n'est innocent, est originale par sa longueur : elle seule a seize cents vers, alors que les farces et les sotties, en théorie et en pratique, ont une longueur d'environ cinq cents vers, comme le confirme Gratien du Pont dans son *Art et science de rethorique mettrifiée* (1539) :

> « Qui aura envye de scavoir le nombre de lignes appartientz en monologues, dyalogues, farces, sottises et moralitez, scaichent que quant monologue passe deux cens lignes, c'est trop, farces et sottises, cinq cens, moralitez mille ou douze cens au plus. »

Michel Rousse a démontré[8] que des points de rupture tous les cinq cents vers (aux vers 498-506 et 1007-1016) divisaient le texte en trois actes — le vol du drap, le délire de Pathelin, l'épisode du berger — et que « chacune de ces actions répond à une farce complète dans la forme et dans la matière, elle est autonome, bien que d'une séquence à l'autre il existe des liens étroits. »

Cette pièce atypique et géniale, dont certaines expressions devinrent proverbes et dont les personnages passèrent au rang de types, a eu un succès immédiat, au même titre que les *Poésies* de Villon et les *Mémoires* de Commynes. Considérée comme une grande œuvre littéraire en sorte qu'on ne l'a pas éditée dans le format agenda, elle fut adaptée en vers latins (*Veterator*), évoquée par Guillaume Alecis en trois endroits de ses *Feintes du Monde*, très fréquemment citée et imitée par Rabelais qui semble l'avoir sue par cœur[9], copiée par plusieurs auteurs de farces, continuée dans le *Nouveau Pathelin* et le *Testament de Pathelin*[10], publiée au moins six fois avant 1500, portée aux nues par Pierre de Laudun d'Ailgaliers, Charles Estienne et Étienne Pasquier qui la préfèrent à « toutes les comédies grecques, latines et italiennes » et qui en soulignent la richesse des personnages et des procédés comiques, l'exactitude des situations, l'habileté de l'intrigue et les dimensions inhabituelles, traits distinctifs qui faisaient de *Pathelin* un des modèles possibles de la comédie qu'on s'est efforcé de créer au XVIe siècle.

Tout au long de notre siècle, les hommes de théâtre n'ont cessé d'être séduits par l'extraordinaire abondance et la liberté de cette pièce qui leur permettaient de projeter leurs conceptions esthétiques, voire sociales et politiques, devant toutes sortes de publics, et plus librement encore que dans les grandes œuvres classiques, selon la recommandation de Charles Dullin : « Vivifie toutes les formes dramatiques selon celles de ton temps. »

I

Cette pièce très moderne, dont beaucoup de vers peuvent être repris tels quels, utilise toutes les ressources du meilleur comique, avec une maîtrise qui annonce celle de Molière et qu'ont reconnue, entre autres, Étienne Pasquier et Sainte-Beuve, se bornant à une satire légère de la justice et du commerce qui vise des personnages plutôt que des groupes sociaux, habile à entremêler toutes les formes du rire et à sentir le comique latent que renferment certaines scènes de la vie quotidienne, comme le marchandage entre le vendeur Guillaume et l'acheteur Pathelin, ou le procès de la troisième séquence.

Celle-ci, en effet, nous permet d'assister au déroulement d'un procès dans la juridiction inférieure d'une seigneurie appartenant à une abbaye. La procédure orale, simple et rapide, met le justiciable en contact direct avec le juge. Un sergent cite d'abord le berger à comparaître (vers 1022 et s.). Pathelin s'efforce que l'enquête n'ait pas lieu, car elle serait au préjudice de son client (vers 1151-1152), et que la demande du drapier ne soit pas prise en considération ; il feint de ne pas connaître le berger pour apparaître comme l'un de ces praticiens qui assistaient à l'audience et dont on demandait l'avis. L'audience, dite de *relevé*, a lieu un samedi après-midi. Quand le juge a pris place sur son siège, une fois assuré de la présence des parties, il invite le drapier à faire sa demande, laquelle était un moment essentiel de la procédure, le demandeur énonçant un texte préparé à l'avance et appris par cœur, le *libelle*. Le rôle de l'avocat n'augmenta que peu à peu, puisque, se bornant d'abord à rédiger le libelle, il le récita ensuite et le développa à la place du plaideur. Pathelin intervient pour mettre en cause la mémoire et le discernement du drapier, il se fait désigner comme conseil du berger — la désignation d'office d'un défenseur était prévue dès le XIIIe siècle et couramment pratiquée — il plaide la folie et, bien que Guillaume essaie d'obtenir le renvoi de l'instance, le juge met fin au procès « en renvoyant le berger absous, c'est-à-dire délié de toute obligation vis-à-vis du demandeur, et se refuse à intervenir dans la discussion ridicule qui oppose Pathelin et Guillaume[11] ».

L'auteur a construit son œuvre sur un seul thème, traduit par le dicton populaire « à trompeur, trompeur et demi », puisque la ruse raffinée et provocatrice de Pathelin qui, avec la complicité de Guillemette, triomphe de la ruse épaisse et de la méfiance nigaude du drapier Guillaume, est mise en échec par la ruse finaude et la roublardise camouflée du berger Thibaud l'Agnelet — les trois filous se font valoir l'un par l'autre — et sur une double intrigue qui s'achève par un dénouement unique. « La farce présente une suite de tromperies où les personnages sont tous des trompeurs virtuels. Malgré l'épaisseur des personnages..., c'est le rebondissement, l'enchaînement, l'opposition ou la symétrie des tromperies qui constituent le schéma de base de la pièce, et non un conflit entre deux catégories de personnages. La distinction entre malin et sot, trompeur et trompé, est effacée par la notion de ruse, engrenage complexe dont le jeu constitue le drame[12]. » Ajoutons que la hiérarchie de la ruse remet en cause la hiérarchie sociale : le drapier, bon bourgeois s'il en fut, est berné par un avocat assez louche et celui-ci est dupé par le berger, un *mouton habillé*, tout comme le menu peuple l'emporte dans des farces comme *Le Poulier à six personnages, Le Couturier et Esopet, Le Gentilhomme et Naudet*, ou encore *Les Femmes qui se font passer pour maîtresses*[13].

Conscient que le comique a plus de force quand le geste est aussi un signe psychologique, l'auteur a refusé les formes élémentaires du comique, la caricature et le déguisement, les gestes gratuits, les coups de bâton, le comique de la boule de neige, ne recourant qu'une seule fois au comique scatologique (vers 636-639) — et encore Pathelin feint-il de délirer — et assez rarement à la grimace, par exemple quand le drapier, effaré et interdit, voit Pathelin au lit, puis au tribunal. Sans doute la pièce était-elle destinée, comme le *Testament* de Villon, à un public cultivé de clercs parisiens, de basochiens et d'écoliers.

En revanche, il a apprécié le comique du bon tour que Bergson appelait la farce d'atelier — Pathelin simule la maladie, l'hallucination, la possession démoniaque, Thibaud la folie — et le comique de l'imitation à tel point que Pathelin s'imite lui-même quand il raconte à Guillemette (vers 405-435) de quelle manière il a dupé le drapier tout en entrecoupant la scène de remarques personnelles ; ailleurs, il reproduit, sans l'exagérer, le geste professionnel du drapier qui mesure son drap.

Il a, d'autre part, utilisé avec finesse des procédés d'ordre technique. L'un ressortit à la mise en scène médiévale, puisque se déroulent simultanément deux scènes opposées : maître Guillaume, mis à la porte par Guillemette, passe par des sentiments divers, puis, emporté par la colère, décide de revenir chez l'*avocat d'eau douce* (vers 753-756) ; Pathelin, fier de sa victoire, s'esclaffe de bon cœur aux dépens de sa victime (vers 741-743). Le spectateur rit du drapier qui a été dupé et de Pathelin que surprendra le retour de Guillaume.

L'autre procédé rend le spectateur complice du bon tour que Pathelin va jouer, dans la mesure où ce dernier indique comment il entend recevoir le drapier pressé de se faire payer (vers 465-469) et où, plus tard, il apprend au berger à se défendre (vers 1167-1172). Ainsi prévenu le public rira-t-il mieux de la situation.

Bergson a bien défini le comique de situation[14] : « Changement continu d'aspect, irréversibilité des phénomènes, individualité parfaite d'une série enfermée en elle-même, voilà les caractères extérieurs (réels ou apparents, peu importe) qui distinguent le vivant du simple mécanique. Prenons-en le contrepied : nous aurons trois procédés que nous appellerons, si vous voulez, la *répétition*, l'*inversion* et l'*interférence des séries*. »

Il est aisé de remarquer que l'auteur de *Pathelin* a usé de toutes les formes de la répétition[15]. Ou bien la même scène revient sous la même forme avec les mêmes personnages : par deux fois Guillaume réclame son argent, par deux fois il se heurte à Guillemette, par deux fois il est joué par l'avocat et s'en retourne vaincu — avec toutefois une progression qui met en valeur l'entêtement, la bêtise et la cupidité du drapier, puisque Pathelin enchérit, se moque directement de sa victime, tombe dans l'invraisemblance par le procédé des divers langages. Ou bien est reproduite exactement une situation de la vie quotidienne : le drapier fait l'éloge de son drap (vers 182-183, 192-193) et jure qu'il ne prend aucun bénéfice (vers 240-242).

Bergson, définissant le comique du ressort comprimé, précisait que « dans une répétition comique de mots, il y a généralement deux termes en présence : un sentiment comprimé qui se détend comme un ressort et une idée qui s'amuse à comprimer de nouveau le sentiment ». Quand Guillaume réclame son argent (vers 528-529), Guillemette feint de prendre ses paroles pour une plaisanterie et Pathelin fait semblant de ne pas le reconnaître. Le procédé est encore plus raffiné dans la scène du jugement, où le drapier, qui a reconnu Pathelin, s'efforce d'obtenir justice de celui-ci tout en poursuivant son affaire contre le berger. Chaque fois que Guillaume manifeste son désir de récupérer son argent, l'avocat fait croire au juge qu'il devient fou. Bien plus, c'est le drapier qui tente de comprimer le ressort pour en revenir aux moutons tués par Thibaud l'Agnelet : en vain, en sorte qu'il mêle les deux affaires, exaspérant le juge.

Une scène devient comique par retournement de la situation et par inversion des rôles. L'auteur utilise ce procédé à deux reprises, avec un art remarquable de la variation. Le drapier qui se croit malin (vers 347-351), est dupé par Pathelin qui emporte le drap sans avoir l'intention de rien payer, sinon par une mise en scène qui fera perdre pied à Guillaume. Plus tard, l'avocat est victime du procédé qu'il a employé pour tromper le juge : le berger le payera *à son mot*, avec des *bée* répétés, sans qu'il obtienne rien d'autre. Ces retournements, sans doute à cause même du succès de notre farce, deviendront très fréquents, souvent soulignés par une conclusion morale :

> Tel trompe au loing qui est trompé...
> A trompeur trompeur et demy...

en particulier dans une farce fort drôle, *Le Gentilhomme, Lison, Naudet et la Demoyselle*, où, le premier ayant séduit la femme du paysan, celui-ci séduira l'épouse du gentilhomme et conclura :

Ne venez plus naudetiser,
Je n'iray plus seigneuriser.

Le procédé, qui a plu à l'auteur de *Pathelin,* est encore utilisé dans la scène qui oppose le drapier à Guillemette : celle-ci lui demande de parler bas pour ne pas fatiguer le malade (vers 560) ; puis, prise au jeu, emportée par la colère ou feignant de l'être, elle se met à crier, si bien que Guillaume s'efforce de la calmer (vers 572-574, 578).

Selon Bergson, « une situation est toujours comique quand elle appartient en même temps à deux séries d'événements absolument indépendantes, et qu'elle peut s'interpréter à la fois dans deux sens tout différents[16] ». C'est une interférence de séries qui lie les deux intrigues de la pièce, puisque les deux mésaventures dont le drapier a été la victime se mêlent, se rejoignent et se heurtent, grâce à Pathelin, dans la plaidoirie comique par laquelle il essaie de se défendre. Cette scène, qui constitue une sorte de sommet avec la présence de quatre personnages, avait été préparée par une autre du même genre, aux vers 704-731 : Guillaume, mis à la porte par la femme de Pathelin, passe de la certitude à l'incertitude pour finir dans un total désarroi. Ce trait comique se relie au motif général de la confusion entre le vrai et le faux, entre la réalité et l'illusion. Dans son impuissance à savoir où est la vérité, il en arrive à croire à une diablerie (vers 987-994).

Un autre trait annonce *L'Avare* de Molière : le procédé de la reconnaissance. Deux personnages se trouvant face à face de manière tout à fait inattendue, la situation devient comique : Pathelin essaie de se cacher le visage et prétend qu'il a mal aux dents, le drapier mêle à sa plaidoirie des arguments contre l'avocat.

Toutefois, dans toutes ces scènes, l'auteur recherche des situations qui révèlent le caractère des personnages. Aussi, plutôt que de reprendre des personnages allégoriques, plutôt que de s'attarder à la simple satire sociale qui demeure anodine, même si le marchand, l'avocat et le juge sont présentés sous des couleurs peu flatteuses, a-t-il peint des individus qui ont un caractère propre, Pathelin et sa femme Guillemette, le drapier Guillaume Jousseaume habile à berner ses clients en vantant sa marchandise, le berger et le juge qui défend les usages et se laisse manœuvrer par Pathelin.

Guillaume connaît son métier de marchand et méprise, au fond de lui-même, le client qu'il traite de béjaune. Chez lui, la vanité se mêle à l'amour du gain (vers 298-299) et à la joie de tromper (vers 349-351). Du coup, il prend pour de la bêtise une ruse de Pathelin qui s'abstient de trop marchander. Il est si obsédé par l'argent qu'il ne comprend plus rien à la réalité et entre dans le jeu de Guillemette et de Pathelin. Sensible à la flatterie, il invite l'avocat à s'asseoir, dès que celui-ci lui a vanté, avec une feinte émotion, les mérites de son père, le modèle des marchands, auquel Guillaume a le privilège de ressembler à la perfection. Pathelin l'appâte en le félicitant de sa compétence, en montrant une envie irrésistible d'acheter du drap, en lui laissant entendre qu'il a mis de côté quatre-vingts écus destinés à rembourser une rente, en feignant la piété et en versant le *denier à Dieu,* « acte qui précédait rituellement toute vente et qui achève de le faire passer pour un honnête bourgeois [17] ». Guillaume, persuadé de sa supériorité, demande le prix fort. Cependant, partagé entre la crainte de perdre une vente et la méfiance, il n'accepte de faire crédit à Pathelin que lorsqu'il est convaincu d'être payé en écus d'or et invité à un bon repas, et il lui permet même d'emporter la pièce de drap, à condition d'être payé en or dès son arrivée chez l'avocat. Cette cupidité est soulignée plus tard par la répétition inlassable de « mon argent » et de « mes neuf francs », relayée bientôt par la bêtise, malgré quelques éclairs de lucidité (vers 800-801). Dérouté par le jargon de Pathelin, il craint d'avoir hâté sa fin et ne songe plus dès lors qu'à s'en aller (vers 975). Sa sottise est si épaisse que, l'avarice aidant, cette première leçon ne suffira pas à l'éclairer et qu'il s'en ira, à la fin de la pièce, en affirmant qu'il va s'assurer de l'identité de Pathelin (vers 1535-1537).

Ainsi tous les procédés qu'emploie l'auteur ne tendent-ils qu'à mettre en valeur les différents aspects du caractère d'un jobard multiforme.

Pourquoi avoir fait de Guillaume un marchand drapier et le propriétaire d'un troupeau ? Est-ce aussi étonnant que certains l'ont pensé ? Non. Nicolas de Louviers, que Villon prend à partie dans son *Testament*, appartenait à une famille de drapiers et faisait le commerce des moutons [18]. Sans doute l'auteur de la farce a-t-il voulu établir un lien étroit entre le vol du drap et le procès, c'est-à-dire entre deux parties de la pièce, et aussi faire de Guillaume le représentant du monde de l'argent sous ses différents aspects, commerçant qui vole le client, propriétaire qui vole son berger.

Pathelin, qui revivra dans Rabelais sous les traits de Panurge comme Guillaume sous ceux de Dindenault, est le personnage central sur qui repose toute l'action, l'élément nodal de la pièce.

Intelligent plutôt que savant, sans être dépourvu tout à fait de culture et de savoir (vers 22-27), capable de parler le latin (vers 963-966) et différents patois, il a surtout appris à connaître les hommes et, par suite, à les manipuler et à les tromper comme sa femme le lui fait remarquer (vers 54-57). Habile à redresser en un tournemain la situation, il mène de main de maître son escroquerie, avec l'assurance des grands filous, maîtrisant l'art de la parole, d'un éblouissant génie inventif, comme dans les scènes où il mime la maladie et la possession démoniaque. Mais cet homme si retors est réduit à la misère (c'est un *avocat dessous l'orme*) après avoir connu des échecs et des châtiments infamants (le pilori), il a une triste réputation de trompeur et de buveur.

Aussi apparaît-il très vite comme un avatar de Renart, puisque, comme le malicieux goupil, non seulement il fait l'éloge du père de sa victime dont il excite la convoitise pour endormir sa méfiance[19], mais encore il feint la mort pour triompher de son adversaire et recourt aux divers langages ; bien plus, comme l'a indiqué J.-P. Bordier, son intelligence connaît des défaillances : sans doute cède-t-il à une certaine impatience et à la tentation d'en faire trop : conteur de lui-même qui se plaît au succès, il aime à mimer ses aventures. En proie à une sorte d'ivresse, victime de ses intempérances de langage, trop sûr de lui, Pathelin est, comme Renart, une figure du décepteur, du *trickster* ou fripon divin[20], un déclassé qui affronte les autres par la ruse et l'art de parler, et dont la finesse s'accompagne d'une certaine sottise[21], tantôt triomphant, tantôt vaincu ; de là, la nécessité de plusieurs aventures et, dans *Pathelin*, trois farces en une seule pièce.

C'est pourquoi il devient, en quelque sorte, un double (supérieur) de Guillaume par son talent d'acteur et son recours à la ruse, par la conscience de sa supériorité et son mépris d'autrui, par son goût du vin (avocat *potatif*) et de la bonne chère, par sa cupidité : Pathelin appâte Guillaume en lui promettant des écus d'or, le berger obtient l'aide de l'avocat en lui faisant espérer un salaire *en bel or à la couronne*. Le drapier et l'avocat finissent par être tous deux trompés, payés *à leur mot*.

Ces premières remarques permettent de pressentir l'originalité de *Pathelin* par rapport à la tradition comique du XVe siècle : le réalisme remplace la grossièreté, le geste révélateur se substitue aux coups et aux grimaces gratuites, une langue drue et vigoureuse devient expression psychologique, l'action se subordonne aux personnages, dont certains étaient peut-être déjà connus du public, sans compter que l'horizon de la farce s'élargit au-delà du temps et de l'espace du spectacle, puisqu'elle fait allusion à un avant, concernant les tromperies de l'avocat qui a connu grandeur et déchéance et les rapports du drapier et du berger, et qu'elle laisse rêver à un après :

le trompeur se tirera d'affaire par de nouvelles fourberies[22].

II

Faut-il parler du comique verbal qui « suit de près le comique de situation et vient se perdre dans le comique de caractère » selon Bergson[23] qui, ailleurs, distingue « entre le comique que le langage exprime et celui que le langage crée » ? Il est loin d'être inexistant. Mais l'auteur, s'il fait appel au répertoire populaire, évite la grossièreté. Il ne dédaigne pas les jurons, il utilise avec discrétion les injures (vers 848-849, 944-949) pour manifester les sentiments de ses personnages ; il n'introduit quelques termes scatologiques ou obscènes que dans le délire de Pathelin (vers 637, 666-667) ; plutôt que l'argot, il emploie des mots populaires dont la verdeur lui a plu, il recourt aux jargons techniques, surtout juridiques, aux jargons étrangers, voire aux jargons absolus (vers 613-614), à l'incohérence de la fatrasie (vers 619-620, 1320-1325) pour peindre les hallucinations de Pathelin ou la colère du drapier. Discret, il préfère la répétition d'idées à la répétition de phrases et évite toutes les jongleries verbales auxquelles se complaît Rabelais, se bornant à quelques images empruntées à la réalité quotidienne (le crachat, la blancheur du sac de plâtre...), à la cuisine (*entrelarder*), à la zoologie (*babouin* et *marsouin*), même s'il arrive que deux répliques opposent deux images (vers 742-747).

Il reste que, si l'auteur de *Pathelin* ne recherche pas précisément le comique verbal tel que nous l'entendons à l'ordinaire, il aime à jouer avec les mots à tel point qu'on a parlé de fête du langage et de langage de la fête, de folie du langage et de langage de la folie. Au cœur de la pièce qui se révèle un texte riche, savant, imprégné de toute une culture, ne découvre-t-on pas une série de synonymes, organisés souvent autour de la lettre *b*, qui désignent l'acte de parler — aux vers 433-434, *bretter, parler*, aux vers 789-790, *fatrouiller*, *barbouiller,* aux vers 932-937, *gargouiller, barbouiller, barboter, barbeloter, parler,* aux vers 1346-1352, *rafarder, brouiller, babiller, dire,* sans parler de l'expression clé, *payer à un (votre) mot-* ou l'acte de plaisanter, tels que *flageoler, rigoler, sorner, flagorner...*, en sorte qu'on a l'impression d'un langage malléable à souhait ? D'ailleurs, que signifie le nom du personnage central qui joue particulièrement bien de la langue pour tromper sa victime ? Il appartient, comme l'a démontré Omer Jodogne [24], à une série de noms communs en rapport avec le langage : *patelin* « façon étrange de parler », « jargon », *patelinage, patelineux* « qui répond en Normand », *patelinois* « jargon » ; il est sans doute dérivé de *pateler* « gazouiller », comme *trottin* de *trotter* et *galopin* de *galoper,* à partir d'une racine onomatopéique commune au germanique et au gallo-roman, *pat-*, et *patelin,* nom commun d'abord, désignait le beau parleur, le trompeur en parole.

Dans cette pièce qu'un feu d'artifice verbal illumine tout au long, l'auteur donne l'impression d'avoir entrepris l'exploration des possibilités du langage [25]. Tout comme il se plaît à des variations sur la même scène (ainsi Pathelin raconte-t-il à Guillemette la scène avec le drapier, du vers 406 au vers 435, et esquisse-t-il, du vers 460 au vers 477, la scène que Guillemette jouera au drapier), il joue avec les synonymes, par exemple avec les jurons et les formules de serment, en constant renouvellement, sur tous les tons, en toutes sortes de fonctions, ou avec les expressions qui marquent la ressemblance :

vers 146. Vrayement c'estes vous tout poché...
vers 154-157. ... qui vous aroit crachié
tous deux encontre la paroy
d'une maniere et d'ung arroy,
si seriez vous sans difference.
vers 163-164. vous luy resemblez de corsaige
comme qui vous eust fait de naige...
vers 168-170. veez vous la, veez vostre pere :
vous luy resemblez mieulx que goute
d'eaue, je n'en fais nulle doubte.

Il jongle avec les suffixes : il suffit de lire les soixante premiers vers pour découvrir tout un système de mots et d'expressions autour d'*avocat* (*avocassoye* 5, *advocassaige* 7, *advocat dessous l'orme* 13, *advocasserie* 47, *advocacïon* 55, *advocas* 60) et de *tromper* (*tromper* 44, *tromperie* 48, *trompacïon* 56). Il se complaît à rapprocher les mots par les sonorités : *camelos*, *camocas* et *advocas* aux vers 58-60, *marmara*, *carimari*, *carimara* aux vers 613-614, *moquin moquat* au vers 1207 ; par les rimes, fréquemment riches, voire léonines (vers 3-4), internes (vers 1046-1047) et équivoquées (vers 445-446, 853-854), en sorte que Louis Cons a pu écrire[26] : « L'auteur donne l'impression d'un homme qui fait de son vers ce qu'il veut : il enjambe et bondit d'une ligne à l'autre avec une prestesse sans égale, sème les allitérations, les calembours et les onomatopées, pratique des brisures et des accords pareillement savants dans le jeu du dialogue, enfin se joue à mettre en vers d'une technique homogène les jargons les plus baroques, les plus bariolés. »

Bien plus, comme il lie à la culture savante (fable du corbeau et du renard, cycle de Guillaume d'Orange, *Chanson de Roland*) la culture populaire des proverbes (vers 40, 1586), des personnages mythiques (Martin Garant) et des légendes (les foireux de Bayeux) de même il élargit la langue par le recours aux langages spécialisés de la draperie (*teint en laine*, *lé de Bruxelles*), de la médecine (*cristere* 639, *pillouëres* 643), du commerce (*denier à Dieu* 229, *la main sur le pot* 396) et surtout du droit[27] que parlent tous les personnages, et aux jargons puisque Pathelin s'exprimera successivement, dans une scène qui ne dure pas moins de six minutes, en limousin, en picard, en flamand, en normand, en breton, en lorrain et, pour finir, en latin. Sans doute était-ce, à la fin de Moyen Age et au XVIe siècle, un exercice courant qui faisait partie du registre comique; mais l'auteur a manifesté une originalité exceptionnelle, qu'il a soulignée en situant cette scène au cœur de la pièce, et une maîtrise qu'on peut qualifier de géniale. Tout d'abord, ce jeu, qui se plaît à enchérir sur la tradition par une sorte d'abondance joyeuse et par l'utilisation de langages peu employés comme le breton et le flamand, est étroitement lié au comique de situation : Pathelin, à en croire Guillemette (vers 786-791), est en plein délire. Ainsi communique-t-il avec sa femme qui, se piquant au jeu et rivalisant avec son époux, donne une explication vraisemblable à l'emploi des différents langages : l'oncle de Pathelin était limousin, sa mère était picarde, son maître d'école normand, sa grand-mère paternelle bretonne. Pathelin profite de ce jeu pour insulter sa victime qu'il appelle *crapaudaille* et *merdaille* (vers 849-850), *carême prenant* (vers 862), qu'il traite d'âne (vers 912) et de trompeur (vers 918), de *couille de Lorraine* (vers 944) et de *vielz nate* « vieux con » (vers 946). De surcroît, on assiste à une subtile gradation qui fait passer le drapier de l'étonnement à l'ahurissement et à une sorte de terreur qui entraîne sa fuite : après le limousin, le picard ou le normand qui demeurent peu ou prou accessibles, le flamand et surtout le breton sont incompréhensibles, au point que le drapier, croyant à une possession diabolique (Pathelin avait parlé de moine noir et de chat), conclut : *Il ne parle pas chrétien* (vers 937). Ce que confirme l'emploi du latin, lié au culte, aux cérémonies funèbres, à la mort : Guillaume pense que Pathelin fait ses dernières oraisons.

Le langage ne dit plus un sens, mais produit un effet sur un des acteurs. Situation paradoxale : les vers latins, prononcés par l'avocat, ont un sens précis, ils racontent l'aventure de Pathelin et du drapier (vers 962-968), mais ils cachent en même temps ce sens à Guillaume. « Le langage, dès lors, apparaît comme essentiellement ambigu : il dit et ne dit pas, il proclame le vrai et induit en erreur, il nomme un sens et le rend inaccessible[28]. »

Le langage devient un jeu qui traduit à la fois la jouissance phonétique d'une réalité chatoyante et un malaise certain sur sa fonction, sa nature et son rôle dans la société, et où l'on évolue entre le sens et le non-sens : ce qui a un sens pour les uns (Guillemette, les spectateurs) n'en a pas pour d'autres (Guillaume), ou encore on ne comprend pas la même chose. Dans le passage au jargon, l'auteur suggère, comme l'a dit M. Erre, « que le langage n'est pas seulement le lieu du sens, mais aussi le lieu où les significations se perdent et agonisent, le lieu du hasard ».

Cet épisode des jargons et de la fausse mort est important pour une autre raison : ne constitue-t-il pas une farce à lui tout seul et, à tout le moins, n'occupe-t-il pas environ le tiers de la pièce ? Dès lors, nous pouvons nous demander si l'auteur n'en profite pas pour jouer avec des lieux communs de l'époque, qui caractérisent la génération de Louis XI et la révèlent en ses profondeurs.

Pour introduire cette scène du délire langagier, l'auteur reprend l'opposition du rire et des larmes pendant une douzaine de vers (762-795), Guillemette affirmant :

> Par ceste ame, je ris et pleure
> ensemble.

Si l'on peut estimer avec M. Erre que « cette paradoxale confusion des manifestations émotives aux sens normalement contradictoires pourrait signifier d'ailleurs la confusion, voire la perte du sens, la dégradation du cosmos en chaos », ne s'agit-il pas d'une allusion à l'actualité littéraire ? En effet, Georges Chastelain, entre autres, dans *La Mort du duc Philippe*, opposait la douleur de la terre :

> Je pleure un haut bien qui se perd
> et me complains que si peu dure (vers 25-26)

et la joie du ciel :

> Et je ris quand j'ai recouvert
> Ce qui est ma nourriture (vers 27-28) ;

son disciple, Jean Molinet, reprenait : *Ma bouche rit et mon pauvre cœur pleure*, tandis que Villon, avec son fameux *Je ris en pleurs et attends sans espoir,* dans la *Ballade du Concours de Blois,* exprimait non pas son caractère ou son évolution, mais, par l'entrelacement du bouffon et du grave, sa vision de l'incertitude universelle[29].

D'autre part, J.-L. de Altamira a souligné que la farce était contemporaine de la grande vogue des danses macabres[30], des descriptions horribles du trépas, des *Arts de bien mourir* qui accordaient une grande importance à la chambre du mourant où les forces du bien et du mal se disputaient l'âme de l'homme, en sorte que la scène de *Pathelin,* que masque un peu le jeu verbal des jargons, prend, semble-t-il, le contrepied de la bonne mort dans une parodie fort réussie. Pathelin invoque Dieu, la Vierge et les saints (Michel, Gigon, Georges) ; il voit des êtres diaboliques : des gens noirs, un moine noir qui vole à travers la pièce, un chat qui monte le long du mur[31], un groupe de crapauds (le démon avait souvent le mufle du crapaud) ; il les combat par des formules magiques (vers 613-614) et l'exorcisme (vers 620) ; il paraît se convertir au point de vouloir devenir prêtre (vers 851) et être confessé par sire Thomas (vers 876-877). Guillemette se joint au jeu de son mari en faisant le signe de la croix (vers 830), en appelant Pathelin au repentir (vers 805-809), en réclamant les derniers sacrements (vers 941-942), en affirmant que l'emploi du latin atteste une foi profonde (vers 970-972), et Guillaume croit que la Mort va piquer Pathelin de son dard (vers 714).

Mais ces signes de piété sont insérés dans des injures, des appels au diable (vers 852-853), des exclamations paillardes. Pathelin joue la possession diabolique dans une parodie sacrilège du rituel de la mort que, seul, le délire permet d'exprimer, et qui est d'autant plus troublante qu'au terme de la scène aucun châtiment ne vient punir Pathelin, ni le menacer dans ses biens, sa liberté, sa vie, et qu'aucun tribunal ne le condamne, même si le berger le berne. Au contraire, comme l'a écrit J.-L. de Altamira, « la fausse mort de Pathelin est suivie d'une fausse résurrection et d'une vraie récompense, non pas dans l'au-delà mais en ce “ bas ” monde : Pathelin gardera les draps, dont il fera de beaux vêtements à son usage et à celui de Guillemette sa complice ». Triomphent la cupidité, l'attachement aux biens de ce monde, la priorité des valeurs temporelles. C'est la mort du mauvais sujet dont les diables guettent l'âme.

Faut-il y voir une certaine déchristianisation ? A tout le moins l'auteur dédramatise-t-il la mort, comme le fait de son côté, dans son *Testament*, Villon qui subtilise le trépas par la métaphore poétique et par l'allusion, et qui introduit très vite ses lecteurs dans le tohu-bohu carnavalesque, avec les valeurs qu'il véhicule et la volonté de jouir tout de suite et pleinement de la vie[32].

Scène bien ambiguë, au demeurant, que cette fausse mort de Pathelin : l'auteur se moque-t-il des *Arts de bien mourir*, ou veut-il parfaire le portrait de son héros dont il suggère la démesure, le mépris des valeurs religieuses, le cynisme et l'absence de tout remords, et dont il fait l'antithèse de l'avocat chrétien, vertueux et pitoyable aux pauvres, de saint Yves, le patron de la profession ? La transgression caractérise la pièce, règle de vie et arme des démunis, qui apparente notre écrivain aux poètes anticonformistes et anarchistes de la même époque, ironiques, désabusés, amoraux, François Villon, Henri Baude, Guillaume Coquillard.

III

Cette obscurité, cette ambiguïté se retrouvent partout. L'entrelacement final de deux intrigues dans les propos incohérents du drapier symbolise la présence constante d'un double langage qui participe à la tromperie universelle. Même les très nombreux serments, jurons et formules dont le propre est de lier les hommes entre eux, ne sont employés que pour tromper. La recherche du double langage se fait certes par l'entrelacement de deux discours dans les propos du drapier, comme le lui reproche le juge (vers 1347-1352), et par les apartés de Pathelin (vers 333-343) et de Guillaume (vers 975-976), mais surtout par le jeu des équivoques.

Sans être systématique, l'ambiguïté est fréquente, phonique, syntaxique ou sémantique. Il suffira de quelques exemples, les notes en fourniront d'autres.

Au vers 20, le verbe *despesche* rime avec *piece* dans les éditions Le Roy et Levet : il s'agit du verbe *despescher*, « expédier, débrouiller ». Mais l'édition Le Caron porte *despiece* et celle de Marion Malaunoy *despesse :* ne faut-il pas dès lors comprendre « mettre en pièces » ? Mais quelle est la cause qu'il met en pièces, celle de son client ou celle de la partie adverse ? Dans l'avocat potatif que dénonce Guillaume au vers 770, faut-il voir un avocat aviné, une belle face d'ivrogne (en rapport avec *potare*, « boire ») ou un avocat supposé, *putatif*, ou encore un avocat *portatif*, raté, comme nous invite à le penser Bruno Roy[33] ?

L'auteur se plaît à des brisures syntaxiques qui, par un rapprochement inattendu de mots et d'expressions, créent de cocasses doubles sens ou des difficultés de lecture, d'autant plus que le texte original est dépourvu de ponctuation. Comment interpréter exactement les vers 6-7 sur lesquels les érudits ont hésité :

> Par Nostre Dame je y pensoye
> dont on chante en advocassaige

et qu'on peut comprendre au moins de deux manières : 1° « Par Notre Dame qu'on invoque parmi les avocats (dans les plaidoiries), j'y pensais (au temps où vous plaidiez) » ; 2° « Par Notre Dame, j'y pensais, par celle qu'on chante, je pensais à votre charge d'avocat » ? Quelquefois, il s'agit d'un simple effet de surprise, comme lorsque Pathelin promet à Guillaume :

> Et si mangerez de mon oye
> par Dieu que ma femme rotist (vers 300-301).

Ou l'effet comique s'accompagne d'un double sens qui révèle la réalité derrière les apparences :

> La toison
> dont il solloit estre foison
> me cousta a la Magdelaine
> huit blans par mon serment de laine
> que je souloye avoir pour quattre (vers 249-253).

Quant aux ambiguïtés sémantiques, elles ne manquent pas, qu'il s'agisse des noms propres ou des noms communs. L'abbé d'Iverneaux (vers 806) était à la tête de l'abbaye d'Iverneaux, maison de religieux augustins près de Lésigny, à proximité de Brie-Comte-Robert, et qui paraît avoir été mal tenue ; c'était aussi le prince de la froidure hivernale, de la « dèche », de la « purée ». Quand Pathelin affirme que le drapier « n'a jamais parlé sans dire parole d'évangile » (vers 286-288), il le jure *par monseigneur saint Gille* qui, selon la *Légende dorée*, avait vécu dans la solitude, sans beaucoup parler, en compagnie des bêtes, mais le mot peut se confondre avec *guille*, *gille* « ruse, tromperie », ainsi comprend-on que Pathelin ment comme ment son interlocuteur. L'auteur joue sur le nom du drapier Guillaume qui s'emploie aussi comme nom commun au sens de « niais », de « mari trompé », et il nous tend la perche en passant de l'un à l'autre :

> C'est ung Guillaume
> qui a seurnom de Jocëaulme (vers 389-390)...
> et tient il les gens pour guillaumes ? (vers 772)...
> Or s'en va il, le beau Guillaume. (vers 996).

De la même manière, le mot *marchand* qui revient à plusieurs reprises entre les vers 65 et 123 — le texte s'organise en longues séquences autour d'un mot clé — devient vite suspect, en raison de son emploi dans deux expressions. L'une, au vers 65, où le *gentil marchande*, que lance Pathelin à sa femme, peut désigner une fille peu farouche qui, sous le couvert d'un honnête commerce, monnayait ses faveurs, comme les protégées de la Belle Heaumière dans le

Testament de Villon. L'autre, au vers 96, quand Guillemette s'écrie à propos de son mari : *Hé Dieu ! quel marchant !* Est-ce le client qui bonimente pour amadouer le vendeur, ou le coquin qui rôde à l'affût d'un bon coup ? Dès lors quand Pathelin fait l'éloge du père de Guillaume, *Qu'estoit ce ung bon marchant et saige !* (vers 123), on peut comprendre que c'était un marchand honnête qui connaissait bien son métier et, dans le même temps, par antiphrase, un franc coquin. L'expression *manger de l'oie* scande la pièce, tantôt au sens propre (vers 300, 500-501, 699), tantôt au sens figuré de « tromperie, moquerie » (vers 1577), tantôt l'auteur jouant sur les deux sens (vers 460, 701).

Pathelin met donc en scène, comme Villon[34], l'ambiguïté du langage, qui est le moteur de l'action et l'outil de toutes les tromperies, devenant un moyen d'action qui ne renseigne pas sur la réalité, mais contraint l'interlocuteur :

> vous l'avez happé
> par blasonner et attrappé
> en luy usant de beau langaige (vers 455-457).

La force des personnages vient de leur capacité à utiliser et à maîtriser le langage, Pathelin par la flatterie tend des pièges dont on n'arrive pas à se dépêtrer, l'emportant sur Guillaume qui ne parvient pas à dominer cet outil pour se faire entendre. Le langage devient même un obstacle infranchissable qui ôte la parole à l'autre, comme en font l'expérience d'abord Guillaume avec Pathelin et Guillemette, avec Pathelin et le berger, ensuite Pathelin lui-même avec le berger.

Le langage, avec ses possibilités et ses limites, est au centre de la pièce, qui se termine par le *bée* du berger, c'est-à-dire par une onomatopée animale, comme il était au cœur des préoccupations de la génération de Louis XI au terme d'une longue évolution commencée au XIIIe siècle : les mots qui n'ont plus de valeur fixe et perdent la référence stable qu'ils avaient, prennent souvent des significations ambiguës, volatiles, devenant un instrument de fraude[35] et une monnaie trompeuse (Pathelin est payé *à son mot*, à son prix, mais aussi avec son mot, celui qu'il a enseigné à Thibaud l'Agnelet, *bée*), en sorte que le langage s'identifie à la tromperie comme l'homme de loi n'est rien d'autre qu'un *décepteur*, ainsi que Guillemette elle-même le fait remarquer dès le début de la pièce (vers 47-56). La parole, au sens saussurien du terme, en arrive à détruire la langue, et Pathelin mène un jeu dangereux qui désorganise le réel. Jean Guilloineau, qui a modernisé la pièce pour le Théâtre antique de la Sorbonne (1962), l'a bien senti : « Tout le génie de ces gens est dans leur langage, toutes leurs luttes, tous leurs combats se déroulent au niveau de la parole[36]. »

Plus banalement, les personnages disent le contraire de ce qu'ils pensent, et toute une partie du comique vient de là, puisque Pathelin, devant Guillemette, reprend, avec des variations et des compléments, pour les commenter et les annuler, les compliments qu'il a adressés à Guillaume sur son père (vers 409-432). Guillaume n'est pas en reste, quand il parle de l'enchérissement du drap (vers 242-243). Et faut-il le croire, comme certains critiques, lorsqu'il l'explique par la *grant froidure* de l'hiver précédent (vers 245) ? Le comique ne naissait-il pas du mensonge éhonté du drapier ? Faut-il le croire aussi quand il prétend avoir élevé et nourri Thibaud l'Agnelet *pour Dieu et en charité* (vers 1239) ? Le langage n'est donc qu'un outil trompeur, outil de la flatterie, outil difficile à manier.

Bien plus, cette obscurité se retrouve dans les personnages de la pièce, en particulier chez Guillemette et Pathelin.

La première est-elle bien cette petite-bourgeoise qu'a reconnue C. E. Pickford[37], « La femme redoutable qui défend sa maison contre tous les ennemis de sa famille ? » Est-elle même la femme légitime de l'avocat ? Son nom, le féminin de Guillaume qui désignait le niais ou le faux niais, était donné aux filles peu farouches : qu'on se rappelle Guillemette la Tapissière, chantée par Villon (*Testament*, vers 543) et le refrain d'une chanson équivoque, qu'on trouve aussi dans le *Testament* (vers 1782), *Ouvrez vostre huis, Guillemette !* Plus surprenant encore : dans son édition de *Pathelin*, Pierre Levet, en 1489, utilisa une gravure sur bois pour représenter Pathelin et Guillemette ; or c'est exactement la gravure dont il s'est servi, dans son édition des *Poésies* de Villon (1489), pour figurer la Grosse Margot et son souteneur. Dès lors, est-elle seulement une « ménagère avertie[38] » qui ne se fait aucune illusion sur les déboires de son mari ? En tout cas, elle a une singulière habileté à broder sur le canevas qu'a esquissé son époux, répétant le *parlez bas* que lui a suggéré Pathelin, jouant la femme offensée par la réclamation sordide du drapier et faisant semblant de craindre pour sa réputation à cause de la présence chez elle de Guillaume, trouvant une explication pour chacun des jargons de Pathelin, reprenant son rôle lorsqu'elle est surprise en train de rire.

Pathelin est-il un véritable avocat ? On le penserait, à en juger par la considération dont il est entouré par le juge et par le berger, et par son attitude à l'audience. Satire de la profession ? Il ne semble pas, Pathelin se définissant plus par sa psychologie personnelle que par ses caractères professionnels, encore qu'il puisse représenter le mauvais avocat. En fait, l'auteur a choisi cette profession pour diverses raisons : la seconde intrigue se rattachera ainsi d'une manière plus vraisemblable à la première, car Pathelin pourra défendre le berger de Guillaume ; d'autre part, cette profession explique sa culture et son esprit rusé, et elle est en rapport avec la signification profonde de la pièce, qui est une interrogation sur le langage.

Mais Pathelin est traité par Guillemette d'*avocat sous l'orme* (vers 13), *sans clergise* (vers 50) et par Guillaume d'*avocat d'eau douce* (vers 756), d'*avocat potatif* (vers 770). Aussi est-il pour Rita Lejeune[39] « avant tout, ce que l'on appelle un clerc de taverne, un de ces hâbleurs qui savaient à l'occasion rédiger un acte ou que l'on trouvait dans certaines tavernes d'une très grande ville comme Paris, attendant une clientèle assez particulière qui y venait pour arranger un procès, passer un bail ou régler ses comptes... un vague clerc de bas étage, volontairement mal défini, un « braconnier » en marge de la profession d'avocat ».

Thibaud l'Agnelet est un berger des champs (vers 1592); mais de quoi s'agit-il? Est-ce une simple redondance pour désigner un berger ordinaire, ou bien est-il un berger du Pré-aux-Clercs dont le territoire faisait partie du bourg de l'abbaye de Saint-Germain *(ad campos clericorum)*, donc mêlé à la vie estudiantine de Paris? De plus, confus et balourd devant le drapier, il est avisé, précis, compétent devant Pathelin dont il applique avec habileté le conseil. L'on sera sensible au contraste entre son nom, Thibaud l'Agnelet, qui marque doublement la candeur et la niaiserie (Thibaud était l'un des noms qu'on donnait aux maris trompés) et son cynisme gouailleur (vers 1093-1137) quand il raconte ses démêlés avec le drapier. En tout cas, aucune réduction simpliste : Thibaud, se sachant coupable, redoute la justice, mais il sait qu'un bon défenseur peut le sortir d'affaire, « faux niais, badin[40] astucieux qui, dans le monde des filous, s'il n'est un jour pendu, fera une belle carrière[41]. »

La Farce de Maître Pierre Pathelin, qui incarne des comportements fondés sur la duplicité dans un univers de mensonge, et qui suggère que la ruse est une arme utile contre le malheur, témoigne d'une période de changements profonds dans les mœurs et les mentalités qui remettent tout en question, les idéaux du Moyen Age, les limites du monde connu, la stabilité du langage qui, devenant arbitraire, doit être entre les hommes l'objet d'un contrat que tous respecteront pour l'empêcher de tomber dans l'équivoque et de se retourner contre les fraudeurs dans une banqueroute spectaculaire au profit de celui qui refuse la communication en se bornant à répéter le monosyllabe *bée* qui triomphe de tous les beaux discours : « C'est le triomphe de Sire le Mot, mais, savoureuse et paradoxale ironie, d'une simple onomatopée qui ne veut rien dire, et qui dit tout... Pathelin a déclenché un mécanisme qu'il ne peut plus arrêter[42]. »

La réalité, les êtres humains, le langage nous échappent dans une sorte d'incertitude universelle — celle de Guillaume au chevet de Pathelin (vers 712) —, sans qu'on puisse distinguer entre la réalité et les apparences, sans qu'on sache finalement si les légataires de Villon dans son *Testament* sont des amis ou des ennemis. Aussi, dans la vie quotidienne comme en politique, faut-il garder présentes à l'esprit ces deux vérités complémentaires : ne pas prendre l'apparence pour la réalité, savoir utiliser les apparences langagières et vestimentaires, comme d'ailleurs l'affirme Pathelin : « C'est le cas de ces gens vêtus de beau velours et de riche soie ; ils disent qu'ils sont avocats, et pourtant ils ne le sont pas » (vers 58-61)[43]. C'est aussi la leçon de Louis XI et de son mémorialiste, Philippe de Commynes[44]. Il faut paraître autre qu'on est.

Jean DUFOURNET.

NOTES

1. *Le Théâtre médiéval profane et comique*, Paris, Larousse, 1975, p. 151.
2. Dans sa thèse de doctorat, à paraître.
3. Selon Louis Cons, *L'Auteur de la Farce de Pathelin*, Princeton et Paris, 1926, et R. T. Holbrook, *Guillaume Alecis et Pathelin*, University of California Press, 1928.
4. Voir, en dernier lieu, l'ouvrage de Jean Deroy, *François Villon, Coquillard et auteur dramatique*, Paris, Nizet, 1977.
5. H. Lewicka, *Études sur l'ancienne farce française*, Paris, Klincksieck, 1974, p. 100, n. 67.
6. Citée par L. Petit de Julleville dans son *Répertoire du théâtre comique en France au Moyen Age*, Paris, 1886, p. 197.
7. La satire était encore plus féroce dans la mise en scène de Robin-G. Davis et de la San Francisco Mime Troupe en 1968.
8. *Le Rythme d'un spectacle médiéval, Maistre Pierre Pathelin et la farce*, dans *Missions et démarches de la critique*, Paris, Klincksieck, 1973, pp. 575-583.
9. Voir Omer Jodogne, *Rabelais et Pathelin*, dans les *Lettres romanes*, t. IX, 1955, pp. 3-14.
10. Qu'on peut lire dans l'édition de Jean-Claude Aubailly, *La Farce de Maistre Pathelin et ses continuations*, Paris, SEDES, 1979, pp. 168-242.
11. P. Lemercier, *Les Éléments juridiques de Pathelin et la localisation de l'œuvre*, dans *Romania*, t. LXXIII, 1952, p. 211.
12. B. Rey-Flaud, *La Farce ou la machine à rire. Théorie d'un genre dramatique*, Genève, 1984, p. 189. Notons que la tromperie, liée à l'alimentation et à l'animalité, nous introduit dans un univers carnavalesque.
13. Voir les travaux de K. Schoell, *Le Comique de l'ancienne farce*, dans *Tréteaux*, t. IV, mai 1982, pp. 21-31 ; *Des farces féministes*, dans *Le Théâtre au Moyen Age*, Montréal, 1981 ; *Das Komische Theater des französischen Mittelalters*, Munich, 1975 ; et aussi le livre stimulant de Donald Maddox, *Semiotics of Deceit*, 1984.

14. *Le Rire. Essai sur la signification du comique*, Paris, PUF, 1940, p. 68.

15. Sans parler de la répétition de mots et de phrases, avec toutes sortes de variations, comme le *parlez bas* de Guillemette, le *bée* du berger, les *neuf francs* dans la bouche de Guillaume, les *paye-moi* et *me paye* répétés par Pathelin au berger, le *sous mon aisselle* et le *manger de mon oie*, le *payer à un (mon, vôtre) mot*, etc.

16. *Op. cit.*, p. 42.

17. J.-Cl. Aubailly, *Le Théâtre médiéval...*, *op. cit.*, p. 154.

18. P. Champion, *François Villon, sa vie et son temps*, Paris, Champion, 1913, t. II, pp. 318-323.

19. Voir l'article de J.-P. Bordier, *Pathelin, Renart, décepteurs et badins...* à paraître.

20. C. G. Jung, Ch. Kerekyi et P. Radin, *Le Fripon divin, un mythe indien*, Genève, Georg, 1958.

21. Même si on a eu tendance à rationaliser et à uniformiser le personnage.

22. Pour une étude plus approfondie du comique, se reporter au mémoire dactylographié de J.-Cl. Aubailly, *Les Procédés du comique, de Pathelin à Rabelais*, Clermont-Ferrand, 1964.

23. *Op. cit.*, pp. 84-85.

24. *Art. cité* à la note 9.

25. Comme l'ont pressenti ou démontré J. Frappier, H. Lewicka, T. J. S. Rutledge, B. Bowen, cités par S. Fleischman, *Language and Deceit in the Farce of Maistre Pathelin*, dans *Tréteaux*, t. III, mai 1981, p. 25.

26. Dans *L'Auteur de la farce de Pathelin*, Paris, PUF, 1926.

27. Voir l'art. cité de P. Lemercier et celui de R. Lejeune, *Le Vocabulaire juridique de Pathelin et la personnalité de l'auteur*, dans les *Mélanges... Robert Guiette*, Anvers, 1961, pp. 185-194.

28. Michel Erre, *Langage(s) et pouvoir(s) dans la Farce de Maître Pathelin*, dans *Dissonances*, t. I, 1977, *Le Corps farcesque*.

29. *Voir notre édition de François Villon, Poésies*, Paris, Imprimerie nationale, 1984, p. 34.

30. *La Vision de la Mort dans Maître Pathelin*, dans *Dissonances*, t. I, 1977 ; et Donald Maddox, *op. cit.*, chap. 5, dont on retiendra un certain nombre de rapprochements.

31. Sur la mythologie du chat au Moyen Age, voir notre dossier dans notre *Roman de Renart, branche XII, Les Vêpres de Tibert*, à paraître chez Champion.

32. Voir notre article *Deux poètes du Moyen Age en face de la mort : Rutebeuf et Villon*, dans *Dies Illa. Death in the Middle Ages*, Manchester, Cairns, 1984, pp. 155-175.

33. *Maître Pathelin, avocat portatif*, dans *Tréteaux*, t. II, mai 1980, pp. 1-7.

34. Jean Dufournet, *Les Formes de l'ambiguïté dans le Testament de Villon*, dans la *Revue des Langues romanes*, t. 86, 1982, pp. 191-219.

35. Cf. S. Fleischman, *art. cité*, pp. 20-21.

36. *Bulletin* n° 5 *du Groupe du Théâtre antique*.

37. Dans son édition de la farce, Paris, Bordas, 1967, p. 10.

38. R. Lebègue, *Le Théâtre comique en France de Pathelin à Mélite*, Paris, Hatier, 1972, p. 42.

39. *Pour quel public la farce de Pathelin a-t-elle été rédigée*, dans *Romania*, t. LXXXII, 1961, p. 487.

40. Sur le badin, voir les études de Ch. Mazouer, *Le Personnage du naïf dans le théâtre comique du Moyen Age à Marivaux*, Paris, Klincksieck, 1979 ; et de J.-Cl. Aubailly, *A propos du badin : théâtre et mythologie populaire*, dans *Tréteaux*, t. IV, mai 1982, pp. 5-14.

41. R. Lebègue, *op. cit.*, p. 44.

42. Jean Frappier, *La Farce de Maître Pierre Pathelin et son originalité*, dans *Du Moyen Age à la Renaissance. Études d'histoire et de critique littéraire*, Paris, Champion, 1976, p. 256.

43. Voir S. Fleischman, *art. cité*, p. 26, n. 15, et Jean-Charles Payen, *La Farce et l'idéologie : le cas de Maître Pathelin*, dans *Le Moyen français*, 8-9, 1981, p. 11.

44. Jean Dufournet, *Les Princes de Philippe de Commynes*, dans *Sur Philippe de Commynes. Quatre études*, Paris, SEDES, 1982, pp. 39-83.

NOTE LIMINAIRE

I. En préparant ce livre, nous avons pensé à plusieurs catégories de lecteurs. D'abord, nous avons voulu mettre à la disposition du grand public cette farce truculente et fine dont le succès ne s'est jamais démenti ; aussi l'avons-nous accompagnée d'une traduction et publiée dans une collection à grande diffusion. Ensuite, nous avons cherché à donner un instrument de travail tant aux élèves des collèges et des lycées qu'aux étudiants des universités.

II. C'est pourquoi, pour établir le texte de *La Farce de Maître Pierre Pathelin,* nous avons, fidèle aux recommandations de J. Bédier, M. Roques et F. Lecoy, suivi scrupuleusement l'Imprimé de G. Le Roy, sans doute le plus ancien et à nos yeux le meilleur [1]. Il est vrai que R. T. Holbrook l'avait déjà choisi pour base de son édition qui est devenue classique [2] ; mais comme, de divers côtés, des érudits aussi avertis qu'O. Jodogne en ont montré les faiblesses et que, d'autre part, C. E. Pickford a reproduit l'Imprimé de P. Levet [3] et J.-Cl. Aubailly le manuscrit La Vallière (Bibliothèque nationale, fonds français 25467) [4], nous

1. Nous tâcherons de le démontrer dans une étude plus ample.
2. Paris, Champion, 1924 (2e éd., 1937), dans les *Classiques français du Moyen Age.*
3. Paris, Bordas, 1967, dans les *Petits Classiques Bordas.*
4. Paris, CDU-SEDES, 1979, dans la *Bibliothèque du Moyen Age.*

avons pensé qu'il était souhaitable de reprendre l'Imprimé de G. Le Roy. Quand nous n'avons pas conservé le texte de Le Roy, nous l'avons indiqué en bas de page. Toutes les fois que nous avons introduit un mot ou une lettre pour compléter le vers, nous l'avons signalé par des crochets ; en revanche, nous avons mis entre parenthèses les syllabes superflues. Enfin, comme l'Imprimé de Le Roy a malheureusement perdu cinq feuillets [1], nous les avons remplacés par les feuillets correspondants de l'Imprimé de Levet.

III. Nous avons, dans notre traduction en langue moderne, cherché à offrir une version littéralement saisissable pour le lecteur qui ne connaît pas le moyen français, en écartant les tours archaïques, les mots disparus du vocabulaire ou dont le sens a changé.

Nos principes primordiaux ont été l'exactitude et la fidélité. Notre traduction se tient au plus près du texte initial, elle ne le modifie que lorsque la stricte intelligibilité l'exige ; elle tâche d'en préserver la densité et la vigueur expressive. Aussi reproduit-elle les images, même celles qui sont devenues obscures ; au besoin une note les éclaire. Elle respecte, autant que possible, le mouvement et le rythme. Elle vise à ne pas trop allonger le texte. Du coup, certains vers n'ont appelé pour ainsi dire aucune intervention de notre part. Pour les passages en jargon, nous avons conservé tels quels ceux qui demeuraient hermétiques aux spectateurs du XVe siècle et traduit ceux qu'ils pouvaient comprendre.

IV. La compréhension de la farce demande des éclaircissements. Pour éviter de surcharger le texte d'appels de notes, les commentaires, en fin de volume, renvoient aux vers.

Complémentaires de la traduction, les notes, que nous avons voulues concises et claires, sont de plusieurs sortes.

Les unes ressortissent à la philologie et à la sémanti-

1. Voir, en fin de volume, *Premières éditions et manuscrits*.

que : elles justifient la leçon que nous avons adoptée, ou la ponctuation que nous avons introduite ; elles commentent parfois la traduction ou attirent l'attention sur des mots que le français contemporain a conservés mais avec un sens différent ; elles signalent la tonalité de certains termes, techniques, archaïques, dialectaux, vulgaires ou même argotiques ; elles peuvent porter sur la prononciation, dans les cas où celle-ci a une importance pour la rime ou la compréhension du vers.

D'autres relèvent de l'histoire : nous avons tâché d'identifier et de situer en quelques mots les personnages que mentionne la farce ; nous avons rendu compte des institutions et des usages dont l'auteur s'est fait l'écho ; nous avons commenté les faits de civilisation.

D'autres notes, plus proprement littéraires, visent à éclairer les intentions du dramaturge, les doubles sens et les jeux de langage, à mettre la farce en relation avec les œuvres contemporaines.

Souvent, tout en évitant une érudition pesante, nous avons indiqué les ouvrages et les articles où le lecteur pourra trouver des renseignements complémentaires.

V. Ce travail n'aurait pu être mené à son terme sans les recherches et les efforts de nos prédécesseurs, en particulier de R. T. Holbrook qui a consacré sa vie à cette farce, et d'O. Jodogne, qui a proposé diverses corrections : il nous est très agréable de confesser notre dette à leur égard. Nous n'oublions pas non plus les nombreux commentateurs qui se sont attachés à éclairer et à révéler les intentions et les mérites de l'œuvre, et dont on trouvera les noms dans les notes et dans l'abondante bibliographie. Nous tenons à remercier tout spécialement notre ami Michel Rousse, dont la thèse, les articles, les suggestions et les remarques nous ont aidé tout au long de ce travail.

LA FARCE
DE MAÎTRE PIERRE PATHELIN

LISTE DES PERSONNAGES

MAISTRE PIERRE PATHELIN, avocat.
GUILLEMETTE, femme de Pathelin.
GUILLAUME JOCEAULME, drappier.
THIBAULT AIGNELET, bergier.
LE JUGE.

MAISTRE PIERRE PATHELIN

MAISTRE PIERRE, *commence*

Saincte Marie ! Guillemette,
pour quelque paine que je mette
a cabasser n'a ramasser,
4 nous ne pouons rien amasser ;
Or vis je que j'avocassoye.

GUILLEMETTE

Par Nostre Dame, je y pensoye,
dont on chante en advocassaige ;
8 mais on ne vous tient pas si saige
des quatre pars comme on soulloit.
Je vis que chascun vous vouloit
avoir pour gangner sa querelle ;
12 maintenant chascun vous appelle
partout advocat dessoubz l'orme.

PATHELIN

Encor ne le dis je pas pour me
vanter, mais n'a, au territoire
16 ou nous tenons nostre auditoire,
homme plus saige fors le maire.

GUILLEMETTE

Aussy a il leu le grimaire
et aprins a clerc longue piece.

SCÈNE I

PATHELIN, GUILLEMETTE

MAÎTRE PIERRE, *commence*

1 Sainte Marie ! Guillemette,
malgré toute la peine que je mets
à chaparder et à ramasser,
4 nous ne pouvons rien amasser ;
j'ai pourtant connu un temps où je plaidais.

GUILLEMETTE

Par Notre Dame qu'on invoque
chez les avocats, j'y pensais ;
8 mais on ne vous tient plus pour aussi habile,
et de beaucoup, qu'on en avait l'habitude.
J'ai connu un temps où chacun voulait
vous avoir pour gagner son procès ;
12 maintenant, chacun vous appelle
partout l'avocat sans cause.

PATHELIN

Soit dit sans me vanter,
il n'y a pas, dans la juridiction
16 où nous tenons notre audience,
d'homme plus habile, excepté le maire.

GUILLEMETTE

C'est qu'il a lu le grimoire
et a été longtemps aux études.

PATHELIN

20 A qui veez vous que ne despesche
sa cause, se je m'y vueil mettre?
Et si n'aprins oncques a lettre
que ung peu; mais je m'ose vanter
24 que je say aussi bien chanter
ou livre avecques nostre prestre
que se j'eusse(s) esté a maistre
autant que Charles en Espaigne.

GUILLEMETTE

28 Que nous vault cecy? Pas enpaigne!
nous mourons de fine famine;
noz robbes sont plus qu'estamine
reses, et ne pouons savoir
32 comment nous en peussons avoir.
Et que nous vault vostre scïence?

PATHELIN

Taisiez vous! Par ma conscïence,
se je vueil mon sens esprouver,
36 je sçauray bien ou en trouver,
des robbes et des chapperons!
Se Dieu plaist, nous eschaperons
et serons remis sus en l'eure.
40 Dea, en peu d'eure Dieu labeure!
S'il [es]couvient que je m'aplicque
a bouter avant ma praticque,
on ne sçaura trouver mon per.

GUILLEMETTE

44 Par saint Jaques, non de tromper :
vous en estes ung fin droit maistre.

PATHELIN

Par celluy Dieu qui me fist naistre,
mais de droitte advocasserie!

PATHELIN

20 A qui croyez-vous que je n'expédie
sa cause, si je veux m'y mettre ?
Et pourtant je n'ai jamais appris à lire
que fort peu ; mais j'ose me vanter
24 que je sais aussi bien chanter
au lutrin avec notre prêtre
que si j'avais été à l'école
aussi longtemps que Charlemagne en Espagne.

GUILLEMETTE

28 Qu'y gagnons-nous ? Des clous.
Nous mourons carrément de faim ;
nos habits sont plus transparents
qu'une étamine, et nous ne pouvons savoir
32 comment nous pourrions en avoir.
A quoi donc nous sert votre science ?

PATHELIN

Taisez-vous ! Par mon âme,
si je veux exercer mon esprit,
36 je saurai bien où en trouver,
des robes et des chaperons !
S'il plaît à Dieu, nous nous en tirerons,
et nous serons remis sur pied dans un instant.
40 Diable ! en moins d'un instant, Dieu fait des miracles !
S'il est nécessaire que je m'applique
à montrer mon savoir-faire,
on ne pourra trouver mon égal.

GUILLEMETTE

44 Non, par saint Jacques... mais pour tromper :
vous y êtes bien passé maître.

PATHELIN

Par le grand Dieu qui me fit naître,
plutôt comme vrai avocat !

GUILLEMETTE

48 Par ma foy, mais de tromperie !
Combien vrayement je m'en advis[e],
quant, a vray dire, sans clergise
et sans sens naturel, vous estes
52 tenu l'une des chaudes testes
qui soit en toute la parroisse !

PATHELIN

Il n'y a nul qui se congnoisse
si hault en advocacïon.

GUILLEMETTE

56 M'aist Dieu ! mais en trompacïon,
au mains en avez vous le los.

PATHELIN

Si ont ceulx qui de camelos
sont vestus et de camocas,
60 qu'ilz dient qu'i sont advocas,
mais pour tant ne le sont ilz mye.
Laissons en paix ceste bav(e)rie ;
je [m'en] vueil aler a la foire.

GUILLEMETTE

64 A la foire ?

PATHELIN

Par saint Jehan, voire,
a la foire, gentil marchande...
Vous desplaist il se je marchande
du drap ou quelque aultre suffraige
68 qui soit bon pour nostre mesnaige ?
Nous n'avons robbe qui rien vaille.

GUILLEMETTE

Vous n'avez ne denier ne maille :
qu'i ferez vous ?

GUILLEMETTE

48 Non, par ma foi, comme trompeur !
Ah ! c'est bien vrai, je m'en rends compte,
puisque, pour dire vrai, sans instruction
et sans bon sens, vous passez
52 pour l'un des plus entreprenants
qui soient dans toute la paroisse !

PATHELIN

Il n'y a personne qui s'y connaisse
aussi bien dans l'art de plaider.

GUILLEMETTE

56 Grand Dieu ! plutôt dans l'art de tromper ;
du moins vous en avez la réputation.

PATHELIN

Tout comme ces gens vêtus
de beau velours et de riche soie,
60 qui disent qu'ils sont avocats,
et pourtant ils ne le sont pas.
Laissons tomber ce bavardage,
je veux m'en aller à la foire.

GUILLEMETTE

64 A la foire ?

PATHELIN

Par saint Jean, oui vraiment,
à la foire, gentille marchande.
Vous déplaît-il que j'achète
du drap ou quelque autre babiole
68 qui soit utile pour notre ménage ?
Nous n'avons pas d'habit qui vaille.

GUILLEMETTE

Vous n'avez pas le moindre sou :
comment ferez-vous ?

PATHELIN

Vous ne sçavez,
72 belle dame ! Se vous n'avez
du drap pour nous deux largement,
si me desmentez hardiement.
Quel couleur vous semble plus belle
76 d'ung gris vert ou d'une brunette
ou d'aultre ? Il le me fault sçavoir.

GUILLEMETTE

Tel que vous le pourrez avoir :
qui emprunte ne choisist mye.

PATHELIN, *en contant sur ses dois*

80 Pour vous, deux aulnes et demye,
et pour moy trois, voire bien quatre ;
ce sont...

GUILLEMETTE

Vous comptez sans rabatre.
Qui, dyable, les vous prestera ?

PATHELIN

84 Que vous en chault qui se fera ?
On les me prestera vrayement
a rendre au jour du jugement,
car plus tost ne sera ce point.

GUILLEMETTE

88 Avant, mon amy ! En ce point,
quel que soit en sera couvert.

PATHELIN

J'acheteray ou gris ou vert,
et pour ung blanchet, Guillemette,
92 me fault trois quartiers de brunette
ou une aulne.

PATHELIN

Vous n'y connaissez rien,
72 belle dame ! Si vous n'avez
du drap pour nous deux, et largement,
n'hésitez pas à me traiter de menteur.
Quelle couleur préférez-vous,
76 un gris vert ou une brunette
ou une autre ? Il faut que je le sache.

GUILLEMETTE

Celle que vous pourrez avoir :
quand on emprunte, on ne choisit pas.

PATHELIN, *en comptant sur ses doigts*

80 Pour vous, ce sera deux aunes et demie,
et pour moi trois, et même quatre ;
ça fait...

GUILLEMETTE

Vous comptez large.
Qui diable vous les donnera à crédit ?

PATHELIN

84 Que vous importe qui le fera ?
Oui, oui, on me les donnera à crédit,
et je les réglerai au jour du Jugement (dernier),
car pas question que ce soit plus tôt !

GUILLEMETTE

88 Allez-y, mon ami ! De cette manière,
il y aura bien un pigeon.

PATHELIN

J'achèterai ou du gris ou du vert,
et pour une chemise, Guillemette,
92 il me faut les trois quarts d'une aune de brunette,
ou même une aune.

GUILLEMETTE

Se m'aist Dieu, voire !
Alez, n'ombliez pas a boire,
se vous trouvez Martin Garant.

PATHELIN

96 Gardez tout

GUILLEMETTE

Hé Dieu ! quel marchant !
Pleust or a Dieu qu'i n'y vist goutte !

PATHELIN

N'est ce pas y la ? J'en fais doubte.
Et si est, par saincte Marie :
100 il se mesle de drapperie.
Dieu i(l) soit !

GUILLAUME JOCEAULME, DRAPPIER

Et Dieu vous doint joye !

PATHELIN

Or ainsi m'aist Dieu que j'avoye
de vous vëoir grant voulenté.
104 Comment se pourte la santé ?
Estes vous sain et dru, Guillaume ?

LE DRAPPIER

Ouÿ, par Dieu.

GUILLEMETTE

Dieu m'aide, oui, vraiment !
Allez, n'oubliez pas de boire,
si vous trouvez Martin Crédit.

PATHELIN

96 Gardez la maison.

Pathelin s'en va.

GUILLEMETTE

Ah ! mon Dieu, quel drôle de client !
Plût à Dieu qu'il n'y vît goutte !

SCÈNE II

PATHELIN, GUILLAUME LE DRAPIER

PATHELIN, *devant l'étal du drapier*

N'est-ce pas lui là-bas ? Je me le demande.
Oui, c'est bien lui, par sainte Marie :
100 il est dans la draperie.
Dieu soit avec vous !

Pathelin salue le drapier.

GUILLAUME JOCEAULME, DRAPIER

Dieu vous donne joie !

PATHELIN

Je vous garantis par Dieu que j'avais
grande envie de vous voir.
104 Comment se porte la santé ?
Êtes-vous en forme, Guillaume ?

LE DRAPIER

Oui, parbleu !

PATHELIN

Sa, ceste paulme !

Comment vous va ?

LE DRAPPIER

Et bien, vrayement,
108 a vostre bon commandement.
Et vous ?

PATHELIN

Par saint Pierre l'apostre,
comme celluy qui est tout vostre.
Ainsi vous esbatez ?

LE DRAPPIER

Et voire.
112 Mais marchans, ce devez vous croire,
ne font pas tousjours a leur guise.

PATHELIN

Comment se porte marchandise ?
S'en peult on ne soigner ne paistre ?

LE DRAPPIER

116 Et, se m'aïst Dieu, mon doulx maistre,
je ne sçay ; tousjours « hay avant ! »

PATHELIN

Ha ! qu'estoit ung homme sçavant
— je requier Dieu qu'il en ait l'ame —
120 de vostre pere ! Doulce dame,
il m'est advis tout clerement
que c'est il de vous, proprement.
Qu'estoit ce ung bon marchant et saige !
124 Vous luy resemblez de visaige,
par Dieu, comme droitte paincture.
Se Dieu eust oncq de crëature

PATHELIN

Votre main, je vous prie.
Pathelin lui prend la main.
Comment ça va ?

LE DRAPIER

Bien, vraiment bien,
108 tout à votre disposition.
Et vous ?

PATHELIN

Par saint Pierre l'apôtre,
comme un homme qui est tout à vous.
Alors les temps sont bons ?

LE DRAPIER

Eh bien ! oui.
112 Mais quand on est marchand, croyez-le bien,
tout ne va pas toujours comme on veut.

PATHELIN

Comment va le commerce ?
Est-ce qu'il nourrit son homme ?

LE DRAPIER

116 Ah ! je vous le jure, mon cher maître,
je ne sais pas. C'est toujours : Hue ! en avant !

PATHELIN

Ah ! que c'était un homme savant
que votre père ! Dieu ait son âme !
120 Douce Mère de Dieu,
à mon avis, c'est bien clair,
c'est vous, tout à fait vous.
Que c'était un bon marchand, et avisé !
124 Vous lui ressemblez de visage,
parbleu, comme un vrai portrait.
Si jamais un homme a trouvé grâce

mercy, Dieu vray pardon luy face
128 a l'amë !

LE DRAPPIER

Amen, par sa grace,
et de nous, quant il luy plaira !

PATHELIN

Par ma foy, il me desclaira
maintes fois et bien largement
132 le temps qu'on voit presentement ;
moult de fois m'en est souvenu.
Et puis lors il estoit tenu
ung des bons.

LE DRAPPIER

Sëez vous, beau Sire !
136 il est bien temps de vous le dire,
mais je suis ainsi gracïeux.

PATHELIN

Je suis[1] bien. Par le corps precïeux,
il avoit...

LE DRAPPIER

Vrayement vous (vous) serrez.

PATHELIN

140 Voulentiers. « Ha ! que vous verrez,
qu'il me dis[oi]t, de grans merveilles ! »
Ainsi m'aist Dieu, que des oreilles[2],
du nez, de la bouche et des yeulx,
144 oncq enfant ne resemblast mieulx

1. suie *dans l'Imprimé.*
2. coeilles *dans l'Imprimé.*

près de Dieu, qu'Il accorde un pardon entier
128 à son âme !

LE DRAPIER

Amen ! par sa grâce,
et à nous aussi, quand il lui plaira !

PATHELIN

Par ma foi, il m'a annoncé
maintes fois, et bien en détail,
132 le temps que nous vivons à présent.
Je m'en suis souvenu bien des fois.
Et depuis cette époque, on le comptait
parmi les gens de bien.

LE DRAPIER

Asseyez-vous, cher Monsieur !
136 Il est bien temps de vous le dire,
mais c'est ma façon d'être poli.

PATHELIN

Ça va bien. Par le précieux Corps (de Dieu),
il avait...

LE DRAPIER

Si, si, vous allez vous asseoir.

PATHELIN

140 Volontiers. « Ha ! que vous verrez,
me disait-il, de grandes merveilles ! »
Je vous jure par Dieu que des oreilles,
du nez, de la bouche et des yeux,
144 jamais enfant n'a ressemblé davantage

a pere ! Quel menton forché !
Vrayement c'estes vous tout poché,
et qui diroit a vostre mere
148 que ne feussiez filz vostre pere,
il auroit grant fain de tancer.
Sans faulte, je ne puis pencer
comment Nature, en ses ouvraiges,
152 forma deux si pareilz visaiges,
et l'ung comme l'aultre tachié.
Car quoy ! qui vous aroit crachié
tous deux encontre la paroy
156 d'une maniere et d'ung arroy,
si seriez vous sans difference.
Or, sire, la bonne Laurence,
vostre belle ante, morut elle ?

LE DRAPPIER

160 Nennin, dea !

PATHELIN

Que la vis je belle
et grande et droitte et gracïeuse !
Par la mere Dieu precïeuse,
vous luy resemblez de corsaige
164 comme qui vous eust fait de naige ;
en ce païs n'a, se me semble,
lignaige qui mieulx se resemble.
Tant plus vous voy... Dieu ! Par le pere,

168 veez vous la, vëez vostre pere :
vous luy resemblez mieulx que goute
d'eaue, je n'en fais nulle doubte.
Quel vaillant bachelier c'estoit
172 le bon preudomme, et si prestoit
ses denrees a qui les vouloit !
Dieu luy pardoint ! Il me soulloit
tousjours de si tresbon cueur rire.
176 Pleust a Jhesucrist que le pire
de ce monde luy resemblast !

à son père. La fossette au menton,
vraiment c'est tout à fait votre portrait,
et si quelqu'un disait à votre mère
que vous n'êtes pas le fils de votre père,
c'est qu'il aurait grande envie de discuter.
Sans mentir, je ne puis m'imaginer
comment Nature, en ses œuvres,
152 forma deux visages si semblables,
avec les mêmes traits.
Car quoi ? si l'on vous avait crachés
tous les deux contre la paroi,
156 même contenance, même maintien,
voilà comme vous seriez, aucune différence.
A propos, sire, la bonne Laurence,
votre belle tante, est-elle morte ?

LE DRAPIER

160 Non, parbleu.

PATHELIN

Comme je l'ai connue belle
et grande et droite et aimable !
Par la très sainte Mère de Dieu,
de prestance vous lui ressemblez
164 comme si l'on vous avait taillé dans la neige.
Dans ce pays il n'y a pas, me semble-t-il,
de famille où les gens se ressemblent mieux.
Plus je vous vois... Dieu ! Par le Père,
Pathelin regarde fixement le drapier.
168 quand on vous voit, on voit votre père :
vous vous ressemblez comme deux gouttes
d'eau, je n'en doute pas un instant.
Quel valeureux garçon c'était,
172 le brave homme, et il vendait à crédit
ses marchandises à qui les voulait !
Que Dieu lui pardonne ! Il avait l'habitude
de m'accueillir toujours avec un sourire.
176 Plût à Jésus-Christ que la pire canaille
de ce monde lui ressemblât !

On ne tollist pas ne n'emblast
l'ung a l'aultre comme l'en fait.
180 Que ce drap ycy est bien fait,
qu'il est souëf, doulx et traictis !

LE DRAPPIER

Je l'ay fait faire tout faictis
ainsi des laines de mes bestes.

PATHELIN

184 Enhen, quel mesnaiger vous estes !
Vous n'en ystriez pas de l'orine
du pere ; vostre corps ne fine
tousjours, [tousjours] de besoignier.

LE DRAPPIER

188 Que voulez vous ? Il fault songner,
qui veult vivre, et soustenir paine.

PATHELIN

Cestuy cy est il taint en laine ?
Il est fort comme ung cordoen.

LE DRAPPIER

192 C'est ung tresbon drap de Rouen,
je vous prometz, et bien drappé.

PATHELIN

Or vrayement j'en suis attrappé,
car je n'avoye intencïon
196 d'avoir drap, par la passïon
de Nostre Seigneur, quant je vins.
J'avoye mis appart quatre vings
escus pour retraire une rente,
200 mais vous en aurez vingt ou trente,

On ne volerait pas, on ne déroberait pas
de tous côtés comme on le fait.
180 Que ce drap-ci est bien fait,
qu'il est soyeux, doux, souple !
Pathelin touche une pièce de drap

LE DRAPIER

Je l'ai fait faire tout exprès
de la laine de mes brebis.

PATHELIN

184 Ah ! çà, quel homme de tête vous êtes !
Impossible de renier
votre père... vous ne cessez
jamais, jamais de travailler.

LE DRAPIER

188 Que voulez-vous ? Il faut s'occuper
si l'on veut vivre, et prendre de la peine.

PATHELIN

A-t-on teint celui-ci avant de le tisser ?
Il est solide comme un cuir de Cordoue.
Il touche une autre pièce.

LE DRAPIER

192 C'est un très bon drap de Rouen,
je vous le promets, et bien tissé.

PATHELIN

Oui, vraiment, me voici bien attrapé,
car je n'avais pas l'intention,
196 en venant, d'acheter du drap,
par la Passion de Notre Seigneur.
J'avais mis de côté quatre-vingts
écus pour racheter une rente,
200 mais vous en aurez vingt ou trente,

je le voy bien, car la couleur
m'en plaist trestant que c'est douleur.

LE DRAPPIER

Escus, voir ? Ce pourroit il faire
204 que ceulx dont vous devez retraire
ceste rente prinssent monnoye ?

PATHELIN

Et ouÿ bien, se je vouloye :
tout m'en est ung en paiëment.
208 Quel drap est cecy ? Vrayëment,

tant plus le vois et plus m'assotte.
Il m'en fault avoir une cotte,
bref, et [a] ma femme de mesme.

LE DRAPPIER

212 Certes, drap est chier comme cresme.
Vous en aurez se vous voulez :
dix ou vingt frans y sont coulez
si tost.

PATHELIN

Ne me chault ; couste et vaille !
216 Encor ay je denier et maille
qu'onc(ques) ne virent pere ne mere.

LE DRAPPIER

Dieu en soit loué ! Par saint Pere,
il ne m'en desplairoit en piece.

PATHELIN

220 Bref, je suis gros de ceste piece ;
il m'en couvient avoir.

je le vois bien, car sa couleur
me plaît tant que j'en ai mal.

LE DRAPIER

Des écus, vraiment ? Se pourrait-il
204 que ceux à qui vous devez racheter
cette rente acceptent de la monnaie ?

PATHELIN

Mais bien sûr, si je voulais :
pour moi, tout se vaut, quand on paie.
208 Qu'est-ce que c'est que ce drap-ci ? Vraiment,
Pathelin touche une autre pièce de drap.
plus je le vois et plus j'en deviens fou.
Bref, il faut que je m'en fasse une robe,
et ma femme aussi.

LE DRAPIER

212 En vérité, le drap vaut aussi cher que la crème.
Vous en aurez si vous voulez :
dix ou vingt francs y filent
bien vite.

PATHELIN

Peu m'importe : le prix, c'est le prix !
216 J'ai encore quelques piécettes
que mon père et ma mère n'ont jamais vues.

LE DRAPIER

Dieu en soit loué ! Par saint Pierre,
ça ne me déplairait pas du tout.

PATHELIN

220 Bref, je suis fou de cette pièce de drap,
il faut que j'en aie.

LE DRAPPIER

Or bien
il couvient adviser combien
vous en voulez, premierement ;
224 tout (est) a vostre commandement,
quanque il en y a en la pille,
et n'eussiez vous ne croix ne pille

PATHELIN

Je le sçay bien, vostre mercy.

LE DRAPPIER

228 Voulez vous de ce pers cler cy ?

PATHELIN

Avant, combien me coustera
la premiere aulne ? Dieu sera
payé des premiers, c'est rayson :
232 vecy ung denier, ne faison
rien qui soit ou Dieu ne se nomme.

LE DRAPPIER

Par Dieu, vous dittes que bon homme,
et m'en avés bien resjouÿ.
236 Voulés vous a ung mot ?

PATHELIN

Ouÿ.

LE DRAPPIER

Chascune aulne vous coustera
vingt et quattre solz.

PATHELIN

Non fera !
Vingt et quattre solz ? Saincte Dame !

LE DRAPIER

Eh bien !
il faut déterminer combien
vous en voulez, c'est la première chose à faire ;
224 tout est à votre disposition,
tout ce qu'il y a dans la pile,
même si vous n'aviez pas un sou.

PATHELIN

Je le sais bien, grand merci !

LE DRAPIER

228 Voulez-vous de ce bleu clair que voici ?

PATHELIN

Allons ! combien me coûtera
la première aune ? Dieu sera
payé en premier, c'est normal :
232 voici un denier, ne faisons rien
sans y associer le nom de Dieu.

LE DRAPIER

Parbleu, vous parlez en honnête homme,
vous m'en voyez tout heureux.
236 Voulez-vous un prix sans marchandage ?

PATHELIN

Oui.

LE DRAPIER

Chaque aune vous coûtera
vingt-quatre sous.

PATHELIN

Ah non !
Vingt-quatre sous ? Sainte Dame !

LE DRAPPIER

240 Il le m'a cousté, par cest' ame!
[Au]tant m'en fault, se vous l'avés.

PATHELIN

Dea, c'est trop!

LE DRAPPIER

Ha! vous ne sçavés
comment le drap est encheri!
244 Trestout le bestail est peri
cest yver par la grant froidure.

PATHELIN

Vingt solz! Vingt solz!

LE DRAPPIER

Et je vous jure
que j'en auray ce que je dy.
248 Or attendés a samedi :
vous verrés que vault. La toison,
dont il solloit estre foison,
me cousta, a la Magdalaine,
252 huit blans, par mon serment, de laine
que je souloye avoir pour quattre.

PATHELIN

Par le sanc bieu, sans plus debatre,
puisqu'ainsi va, donc je marchande.
256 Sus, aulnés.

LE DRAPPIER

Et je vous demande,
combien vous en fault il avoir?

LE DRAPIER

240 C'est ce qu'il m'a coûté, par mon âme !
C'est ce que j'en veux, si vous le prenez.

PATHELIN

Diable, c'est trop !

LE DRAPIER

Ah ! vous ne savez pas
combien le drap a augmenté !
244 Tout le bétail a péri
cet hiver à cause du grand froid.

PATHELIN

Vingt sous ! Vingt sous !

LE DRAPIER

Je vous jure
que j'en aurai le prix que je dis.
248 Attendez donc jusqu'à samedi :
vous verrez ce qu'il vaut. La toison,
dont il y avait d'habitude profusion,
me coûta, à la Sainte-Madeleine,
252 huit blancs, je vous le jure, pour la laine
que d'habitude j'avais pour quatre.

PATHELIN

Palsambleu, je ne discute plus ;
dans ces conditions, j'achète.
256 Allons ! mesurez !

LE DRAPIER

Je vous le demande,
combien vous en faut-il ?

PATHELIN

Il est bien aisé a savoir :
quel lé a il ?

LE DRAPPIER

[Lé] de Brucelle.

PATHELIN

260 Trois aulnes pour moy, et pour elle
— elle est haulte — deux et demye :
ce sont six aulnes. Ne sont mie ?
Et non sont ! Que je suis becjaune !

LE DRAPPIER

264 Il ne s'en fault que demie aulne
pour faire les six justement.

PATHELIN

J'en prendray six tout rondement ;
aussy me fault il chapperon.

LE DRAPPIER

268 Prenez la, nous les aulnerons.

Si(lz) sont elles cy sans rabatre.
Empreu, et deux, et trois, et quatre,
et cinq, et six.

PATHELIN

Ventre saint Pierre,

272 ric a ric !

LE DRAPPIER

Aulneray je arriere ?

PATHELIN

C'est bien facile à savoir :
en quelle largeur est-il ?

LE DRAPIER

Celle de Bruxelles.

PATHELIN

260 Trois aunes pour moi et, pour elle,
car elle est grande, deux et demie.
Ça fait six aunes... C'est bien ça ?
Mais non ! Que je suis idiot !

LE DRAPIER

264 Il n'en manque qu'une demi-aune
pour faire les six exactement.

PATHELIN

J'en prendrai six pour faire un compte rond ;
d'ailleurs, il me faut un chaperon.

LE DRAPIER

268 Prenez là, nous allons mesurer.
Ils mesurent le drap ensemble.
Elles y sont bien, et largement.
Un, et deux, et trois, et quatre,
et cinq, et six.

PATHELIN

Ventre saint Pierre,
272 c'est ric-rac !

LE DRAPIER

Faut-il remesurer ?

PATHELIN

Nenny, de par une longaine!
Il y a ou plus parte ou plus gaigne
en la marchandise. Combien
276 monte tout?

LE DRAPPIER

Nous le sçavons bien :
a vingt et quatre solz chascune,
les six, neuf frans.

PATHELIN

Hen, c'est pour une!
Ce sont six[1] escus?

LE DRAPPIER

M'aist Dieu, voire.

PATHELIN

280 Or, sire, les voulez vous croire
jusques a ja quant vous vendrez?

Non pas croire : vous les prendrez
a mon huis, en or ou monnoye.

LE DRAPPIER

284 Nostre Dame, je me tordroye
de beaucoup a aler par la.

PATHELIN

Hee, vostre bouche ne parla
depuis, par monseigneur saint Gille,
288 qu'el(le) ne disoit pas evangille.
C'est tresbien dit : vous vous tordriez!
C'est cela : vous ne vouldrïez
jamais trouver nulle achoison

1. huit *dans l'Imprimé.*

PATHELIN

Non, non, par la pompe à merde !
Il y a toujours perte ou profit
sur la marchandise. A combien
276 se monte le tout ?

LE DRAPIER

C'est facile à compter :
à vingt-quatre sous chacune,
les six font neuf francs.

PATHELIN

Hum ! Pour une fois !
Ça fait six écus ?

LE DRAPIER

Mon Dieu oui, exactement !

PATHELIN

280 Maintenant, sire, voulez-vous me faire crédit
jusqu'à tout à l'heure, quand vous viendrez ?
Le visage du drapier se ferme.
Non pas « faire crédit » : vous les prendrez
chez moi, en or ou en monnaie.

LE DRAPIER

284 Notre-Dame, ça me ferait un grand
détour d'aller par là.

PATHELIN

Ha ! voilà que votre bouche
par Monseigneur saint Gilles,
288 ne dit pas vérité vraie.
C'est bien le mot : vous feriez un détour !
C'est ça : vous ne voudriez
jamais trouver une occasion

292 de venir boire en ma maison ;
or y bevrez vous ceste fois.

LE DRAPPIER

Et, par saint Jaques, je ne fais
guares aultre chose que boire !
296 Je iray, mais il fait mal d'acroire,
ce sçavez vous bien, a l'estraine.

PATHELIN

Souffist il se je vous estraine
d'escus d'or, non pas de monnoye ?
300 Et si mangerez de mon oye,
par Dieu, que ma femme rotist.

LE DRAPPIER

Vrayement, cest homme m'assotist.

Alez devant. Sus ! je iray doncques
304 et le porteray.

PATHELIN

Rien quiconques !
Que me grevera il ? Pas maille.
Soubz mon esselle !

LE DRAPPIER

Ne vous chaille !
Il vault mieulx, pour le plus honeste,
308 que je le porte.

PATHELIN

Male feste
m'envoise la saincte Magdalene
se vous en prenez ja la paine !
C'est tresbien dit : dessoubz l'esselle !

292 de venir prendre un verre chez moi ;
eh bien ! cette fois-ci, vous allez y boire.

LE DRAPIER

Mais, par saint Jacques, je ne fais
guère autre chose que de boire !
296 J'irai, mais il est mauvais de faire crédit,
vous le savez bien, sur la première vente.

PATHELIN

Êtes-vous satisfait si je vous paie cet achat
avec des écus d'or, et non avec de la monnaie ?
300 Et aussi vous mangerez de mon oie,
par Dieu, que ma femme fait rôtir.

LE DRAPIER

En aparté,

Vraiment, cet homme me rend fou.

à Pathelin.

Allez devant. En route ! J'irai donc,
304 et je porterai le drap.

PATHELIN

Pas question !
En quoi me gênera-t-il ? En rien du tout...
sous mon bras.

LE DRAPIER

Ne vous tracassez pas !
Il vaut mieux, c'est plus convenable,
308 que je le porte.

PATHELIN

Que sainte Madeleine
me fasse passer un sale moment
si vous prenez jamais cette peine !
C'est très bien dit : sous le bras !

Pathelin met l'étoffe sous son bras.

312 Cecy m'y fera une belle
bosse. Ha ! c'est tresbien alé.
Il y aura (et) beu et gallé
chiez moy ains que vous en aillez.

LE DRAPPIER

316 Je vous pry que vous me baillez
mon argent dez que je y seray.

PATHELIN

Feray. Et, par Dieu, non feray
que n'ayez prins vostre repas
320 tres bien ; et si ne vouldroye pas
avoir sur moy de quoy payer.
Au mains viendriez vous assaier
quel vin je boy. Vostre feu pere,
324 en passant, huchoit bien : « Compere ! »
ou « Que dis tu ? » ou « Que fais tu ? »
Mais vous ne prisez ung festu,
entre vous riches, povres hommes.

LE DRAPPIER

328 Et, par le [saint] sang bieu, nous sommes
plus povres !

PATHELIN

Ouay ! Adieu, adieu !
Rendez vous tantost au dit lieu
et nous bevrons bien, je m'en vant.

LE DRAPPIER

332 Si feray jë. Alez devant,
et que j'aye or !

PATHELIN

Or ? Et quoy doncques ?

312 Ça me fera une belle
bosse. Ah ! c'est très bien comme ça !
Vous ne partirez pas de chez moi
avant qu'on ait bien bu et fait la noce.

LE DRAPIER

316 Je vous prie de me donner
mon argent dès que j'y serai.

PATHELIN

D'accord. Ou plutôt non, parbleu,
tant que vous n'aurez pas mangé
320 à votre aise. Et même je m'en voudrais
d'avoir sur moi de quoi payer.
Au moins vous viendriez goûter
le vin que je bois. Feu votre père,
324 quand il passait, criait : « Eh ! compère »,
ou « Que dis-tu ? », ou « Que fais-tu ? »
Mais vous ne faites pas grand cas,
vous autres les riches, des pauvres gens.

LE DRAPIER

328 Mais, par le saint sang de Dieu, c'est nous
les plus pauvres !

PATHELIN

Ouais ! Adieu, adieu !
Rendez-vous tout de suite à l'endroit fixé
et nous boirons bien, je vous le garantis.

LE DRAPIER

332 C'est entendu. Partez devant,
et que j'aie de l'or !

PATHELIN

De l'or ? Et quoi donc ?
Pathelin s'en va.

Or ? Dyable, je n'y failly oncques.
Non ! Or ? Qu'il peult estre pendu !
336 En dea ! il ne m'a pas vendu
a mon mot, ce a esté au sien,
mais il sera payé au myen.
Il lui fault or ? On le luy fourre.
340 Pleust a Dieu qu'il ne fist que courre
sans cesser jusqu'a fin de paye !
Saint Jehan, il feroit plus de voye
qu'i n'y a jusqu'a Pampelune.

LE DRAPPIER

344 Ilz ne verront soleil ne lune,
les escus qu'i me baillera,
de l'an, qui ne les m'emblera.
Or n'est il si fort entendeur
348 qui ne trouve plus fort vendeur !
Ce trompeur la est bien becjaune
quant, pour vingt et quatre solz l'aulne,
a prins drap qui n'en vault pas vingt.

PATHELIN

352 En ay je ?

GUILLEMETTE

De quoy ?

PATHELIN

Que devint
vostre vieille cote hardie ?

De l'or ? Diable, je n'en ai jamais manqué.
Non mais ! De l'or ? Puisse-t-il être pendu !
336 Que diable ! il ne m'a pas vendu son drap
à mon prix, il l'a vendu au sien,
mais il sera payé au mien.
Il lui faut de l'or ? On le lui fabrique.
340 Plût à Dieu qu'il ne cessât de courir
jusqu'à son paiement complet !
Par saint Jean, il ferait plus de chemin
qu'il n'y en a jusqu'à Pampelune.

LE DRAPIER, *resté seul*

344 Ils ne verront pas le soleil ni la lune,
les écus qu'il me donnera,
de toute l'année, à moins qu'on ne me les vole.
Il n'est si habile client
348 qui ne trouve plus habile vendeur !
Ce trompeur-là est bien nigaud
puisque, pour vingt-quatre sous l'aune,
il a pris du drap qui n'en vaut pas vingt.

SCÈNE III

PATHELIN, GUILLEMETTE

PATHELIN

352 En ai-je ?

GUILLEMETTE

De quoi ?

PATHELIN

Qu'est devenue
votre vieille houppelande ?

GUILLEMETTE

Il est grant besoing qu'on le dye !
Qu'en voulez vous faire ?

PATHELIN

Rien, rien.
356 En ay je ? Je le disoye bien.

Est il ce drap cy ?

GUILLEMETTE

Saincte dame !
Or, par le peril de mon ame,
il vient d'aucune couverture.
360 Dieux ! dont nous vient ceste aventure ?
Helas, helas ! qui le payera ?

PATHELIN

Demandez vous qui se fera ?
Par saint Jehan, il est ja paié.
364 Le marchant n'est pas desvoyé,
belle seur, qui le m'a vendu.
Parmy le col soye je pendu
s'il n'est blanc comme ung sac de plastre !
368 Le meschant villain challemastre
en est saint sur le cul.

GUILLEMETTE

Combien
couste il doncques ?

PATHELIN

Je n'en doy rien :
il est payé, ne vous en chaille.

GUILLEMETTE

372 Vous n'avïez denier ne maille !
Il est payé ? En quel monnoye ?

GUILLEMETTE

C'est vraiment utile d'en parler !
Qu'en voulez-vous faire ?

PATHELIN

Rien, rien.
356 En ai-je ? Je vous le disais bien.

Pathelin sort le drap.

Est-ce bien ce drap-ci ?

GUILLEMETTE

Sainte Dame !
Mais j'y engagerai mon âme,
il provient d'une tromperie.
360 Grand Dieu ! d'où nous vient cette aventure ?
Hélas, hélas ! qui le payera ?

PATHELIN

Vous demandez qui ce sera ?
Par saint Jean, il est déjà payé.
364 Le marchand qui me l'a vendu,
chère amie, n'est pas détraqué.
Que je sois pendu par le cou
s'il n'est saigné à blanc... comme plâtre !
368 La saloperie de canaille
en est restée sur le cul.

GUILLEMETTE

Combien
coûte-t-il donc ?

PATHELIN

Je ne dois rien :
il est payé, ne vous tracassez pas.

GUILLEMETTE

372 Vous n'aviez pas un centime !
Il est payé ? Avec quel argent ?

PATHELIN

Et, par le sanc bieu, si avoye,
dame : j'avoye ung parisi.

GUILLEMETTE

376 C'est bien alé ! Le beau nisi
ou ung brevet y ont œuvré ;
ainsi l'avez vous recouvré ;
et, quant le terme passera,
380 on viendra, on nous gaigera,
quancque avons nous sera osté.

PATHELIN

Par le sang bieu, il n'a cousté
que ung denier, quancqu'il en y a.

GUILLEMETTE

384 *Benedicite, Maria*,
que ung denier ? Il ne se peult faire !

PATHELIN

Je vous donne cest œil a traire
s'il en a plus eu ne n'aura,
388 ja si bien chanter ne saura.

GUILLEMETTE

Et qui est il ?

PATHELIN

C'est ung Guillaume
qui a surnom de Jocëaulme,
puisque vous le voulés sçavoir.

GUILLEMETTE

392 Mais la maniere de l'avoir
pour ung denier, et a quel jeu ?

PATHELIN

Si, palsambleu, j'en avais,
madame : j'avais un sou de Paris.

GUILLEMETTE

376 Quel beau coup ! Vous avez payé
avec une obligation ou une reconnaissance de dette ;
c'est comme ça que vous l'avez obtenu ;
et quand l'échéance arrivera,
380 on viendra, on nous saisira,
tout ce que nous avons nous sera pris.

PATHELIN

Palsambleu, je n'ai payé
qu'un seul denier tout ce qu'il y a là.

GUILLEMETTE

384 *Benedicite Maria !*
Qu'un seul denier ? C'est impossible !

PATHELIN

Je vous donne mon œil à arracher
s'il en a eu ou s'il en aura davantage
388 ... il pourra toujours chanter.

GUILLEMETTE

Qui est-ce donc ?

PATHELIN

C'est un Guillaume
dont le surnom est Josseaulme,
puisque vous voulez le savoir.

GUILLEMETTE

392 Mais la manière de l'avoir
pour un seul denier, et par quel tour ?

PATHELIN

Ce fut pour le denier a Dieu,
et encore, se j'eusse dit
396 « la main sur le pot ! », par ce dit
mon denier me fust demeuré.
Au fort, est ce bien labouré ?
Dieu et luy partiront ensemble
400 ce denier la, se bon leur semble,
car c'est tout quant qu'ilz en auront,
ja si bien chanter ne sçauront,
ne pour crier ne pour brester.

GUILLEMETTE

404 Comment l'a il voulu prester,
luy qui est ung homs si rebelle ?

PATHELIN

Par saincte Marie la belle,
je l'ay armé et blasonné [1]
408 si qu'il le m'a presque donné [2].
Je luy disoye que son feu pere
fut si vaillant. « Ha ! » fais je, « frere,
qu'estes vous de bon parentaige !
412 Vous estes », fais je, « du lignaige
d'icy entour plus a louer. »
Mais je puisse Dieu avouer
s'il n'est attrait d'une peaultraille,
416 la plus rebelle villenaille
qui soit, se croy je, en ce royaume !
« Ha ! » fais je, « mon amy Guillaume,
que resemblez vous bien de chiere
420 et du tout a vostre bon pere ! »
Dieu sçay comme j'eschaffauldoye,
et a la fois j'entrelardoye
en parlant de sa drapperie !
424 « Et puis », fais je, « saincte Marie,

1. armer et blasonner *dans l'Imprimé.*
2. donner *dans l'Imprimé.*

PATHELIN

Ce fut grâce au denier à Dieu,
et encore, si j'avais dit :
396 « Topez là », par ces mots
mon denier serait resté dans ma bourse.
Alors, n'est-ce pas du beau travail ?
Dieu et lui se partageront
400 ce denier-là, si bon leur semble,
car c'est tout ce qu'ils en auront,
qu'ils crient, qu'ils braillent,
ils pourront toujours chanter.

GUILLEMETTE

404 Comment a-t-il bien voulu le donner à crédit,
lui qui est un homme si coriace ?

PATHELIN

Par sainte Marie la belle,
je lui ai doré son blason
408 si bien qu'il me l'a presque donné.
Je lui disais que feu son père
avait tant de mérite... « Ah ! dis-je, mon frère,
quelle bonne famille que la vôtre !
412 Vous êtes, dis-je, du lignage
le plus estimable de la région. »
Mais je choisis de reconnaître Dieu
s'il ne sort pas d'une sale engeance,
416 de la plus coriace canaille
qui soit, je crois, dans ce royaume !
« Ah ! dis-je, Guillaume mon ami,
que vous ressemblez de visage
420 et en tout à votre bon père ! »
Dieu sait comme j'entassais mes boniments
et comme de temps à autre je les entrelardais
de propos sur ses draps !
424 « Et puis, dis-je, sainte Marie,

comment prestoit il doulcement
ses denrees, si humblement !
C'estes vous », fais je, « tout crachié ! »
426 Toutesfois, on eust arrachié
les dens du villain marsouyn,
son feu pere, et du babouyn,
le filz, avant qu'il en prestassent

432 cecy, ne que ung beau mot parlassent.
Mais, au fort, ay je tant bretté
et parlé qu'il m'en a presté
six aulnes.

GUILLEMETTE

Voire, a jamais rendre !

PATHELIN

436 Ainsi le devez vous entendre.
Rendrë ? On luy rendra le dyable !

GUILLEMETTE

Il m'est souvenu de la fable
du corbiau qui estoit assis
440 sur une croix de cinq a six
toises de hault, lequel tenoit
ung fromage au bec. La venoit
ung renard qui vit ce froumaige ;
444 pença a luy : « Comment l'aurai ge ? »
Lors se mist dessoubz le corbeau.
« Ha » fist il, « tant as le corps beau
et ton chant plain de melodie ! »
448 Le corbeau par sa cornardie,
oyant son chant ainsi vanter,
si ouvrist le bec pour chanter
et son fromaige chet a terre.
452 Et maistre Renard le vous serre
a bonnes dens et si l'emporte.
Ainsi est il, je m'en fais forte,
de ce drap : vous l'avez happé
456 par blasonner, et attrappé

comme il faisait gentiment crédit,
et en toute simplicité !
C'est vous, dis-je, tout craché ! »
428 Au vrai, on aurait arraché
les dents au vilain marsouin,
feu son père, et à son babouin
de fils, avant qu'ils ne vous prêtent
Pathelin fait claquer son ongle contre ses dents.
432 ça, ou qu'ils disent une parole aimable.
Mais pour finir j'ai tant bavardé
et parlé qu'il m'en a vendu à crédit
six aunes.

GUILLEMETTE

Oui, mais le paiement ? Jamais ?

PATHELIN

436 C'est ainsi que vous devez le comprendre.
Payer ? On lui payera le diable !

GUILLEMETTE

Vous m'avez rappelé la fable
du corbeau qui était perché
440 sur une croix de cinq à six
toises de haut, et qui tenait
en son bec un fromage. Survint
un renard qui vit ce fromage.
444 Il se dit : « Comment l'avoir ? »
Alors il se mit sous le corbeau.
« Ah ! fit-il, comme tu as le corps beau
et comme ton chant est mélodieux ! »
448 Le corbeau dans sa bêtise,
entendant ainsi vanter son chant,
ouvrit le bec pour chanter,
et son fromage tombe à terre.
452 Et Maître Renard de vous le cueillir
à belles dents et de l'emporter.
Ainsi en est-il, j'en suis sûre,
de ce drap : vous l'avez happé
456 par des flatteries et attrapé

en luy usant de beau langaige,
comme fist Renard du froumaige ;
vous l'en avez prins par la moe.

PATHELIN

460 Il doit venir manger de l'oye,
mais vecy qu'il nous fauldra faire.
Je suis certain qu'il viendra braire
pour avoir argent promptement.
464 J'ay pensé bon appointtement :
il escouvient que je me couche,
comme malade, sur ma couche,
et, quant il viendra, vous direz :
468 « Ha ! parlez bas ! » et gemirez
en faisant une chere fade.
« Las ! » ferez vous, « il est malade
passé deux moys ou six sepmaines. »
472 Et s'i vous dit : « Ce sont trudaines,
il vient d'avec moy tout venant ! »
— « Helas ! ce n'est pas maintenant »,
ferez vous, « qu'il fault rigoler »,
476 et le me laissez flageoler,
car il n'en aura aultre chose.

GUILLEMETTE

Par l'ame qui en moy repose,
je feray tres bien la maniere.
480 Mais, se vous renchëez arriere
que justice vous en repreigne,
je me doubte qu'il ne vous preigne
pis la moitié que l'aultre fois.

PATHELIN

484 Or paix ! Je sçay bien que je fais ;
il fault faire ainsi que je dy.

GUILLEMETTE

Souviengne vous du samedi,
pour Dieu, qu'on vous pilloria :

en lui servant de belles paroles,
comme fit Renard pour le fromage ;
vous l'avez dupé en jouant du bec.

PATHELIN

460 Il doit venir manger de l'oie,
mais voici ce qu'il nous faudra faire.
Je suis certain qu'il viendra braire
pour avoir promptement de l'argent.
464 J'ai pensé à un bon tour :
il faut que je me couche
comme si j'étais malade, sur ma couche,
et quand il viendra, vous direz :
468 « Ah ! parlez bas ! », et vous gémirez
en faisant triste figure.
« Hélas ! direz-vous, il est malade
depuis deux mois ou six semaines. »
472 Et s'il vous dit : « Fariboles que tout cela !
Il vient tout juste de me quitter. »
— « Hélas ! ce n'est pas maintenant,
direz-vous, qu'il faut plaisanter. »
476 Laissez-le-moi déblatérer
car il n'en tirera rien d'autre.

GUILLEMETTE

Par l'âme qui est la mienne,
je jouerai très bien mon rôle.
480 Mais, si vous échouez et retombez
entre les mains de la justice,
je crains que ça ne vous coûte
deux fois plus que la dernière fois.

PATHELIN

484 Allons, silence ! Je sais bien ce que je fais,
il faut faire comme je dis.

GUILLEMETTE

Souvenez-vous du samedi,
par Dieu, où l'on vous mit au pilori :

488 vous sçavez que chascun cria
sur vous pour vostre tromperie.

PATHELIN

Or laissez celle baverie !
Il viendra, nous ne gardons l'eure.
492 Il fault que ce drap nous demeure.
Je m'en vois coucher.

GUILLEMETTE

Alez doncques.

PATHELIN

Or ne riez point !

GUILLEMETTE

Rien quiconques,
mais pleureray a chaudes larmes.

PATHELIN

496 Il nous fault estre tous deux fermes,
affin qu'il ne s'en apparçoive.

LE DRAPPIER

Je croy qu'il est temps que je boive
pour m'en aller. Hé ! non feray :
500 je doy boire et si mangeray
de l'oye, par saint Mathelin,
chiez maistre Pierre Pathelin,
et la recevray je pecune.

488 vous savez que vous fûtes hué
de tous pour votre fourberie.

PATHELIN

Laissez donc ce bavardage !
Il va venir, c'est certain.
492 Il faut que ce drap nous reste.
Je vais me coucher.

GUILLEMETTE

Allez donc.

PATHELIN

Mais ne riez pas !

GUILLEMETTE

Sûrement pas.
Je vais pleurer à chaudes larmes.

PATHELIN

496 Il faut que nous gardions tous deux notre sérieux,
afin qu'il ne se rende compte de rien.

SCÈNE IV

LE DRAPIER

Je crois qu'il est temps que je boive un verre
avant de m'en aller. Eh ! bien, non :
500 je dois boire et manger
de l'oie, par saint Mathurin,
chez Maître Pierre Pathelin,
et là, je recevrai de l'argent.

504 Je happeray la une prune
a tout le moins, sans rien despendre.
Je y vois, je ne puis plus rien vendre.

Hau, maistre Pierre !

GUILLEMETTE

Helas ! sire,
508 pour Dieu, se vous voulez rien dire,
parlez plus bas.

LE DRAPPIER

Dieu vous gart, dame !

GUILLEMETTE

Ho ! plus bas !

LE DRAPPIER

Et quoy ?

GUILLEMETTE

Bon gré m'ame...

LE DRAPPIER

Ou est il ?

GUILLEMETTE

Las ! ou doit il estre ?

LE DRAPPIER

512 Qui[1] ?

1. Le qui *dans l'Imprimé.*

504 Je suis là sur un bon coup
qui, au moins, ne me coûtera rien.
J'y vais, je ne peux plus rien vendre.

SCÈNE V

LE DRAPIER, GUILLEMETTE, PATHELIN

LE DRAPIER

Ohé, maître Pierre !

GUILLEMETTE

Hélas ! sire,
508 par Dieu, si vous voulez dire quelque chose,
parlez plus bas.

LE DRAPIER

Dieu vous garde, Madame !

GUILLEMETTE

Ho ! plus bas !

LE DRAPIER

Eh ! quoi ?

GUILLEMETTE

Par mon âme...

LE DRAPIER

Où est-il ?

GUILLEMETTE

Hélas ! Où doit-il être ?

LE DRAPIER

512 Qui... ?

GUILLEMETTE

Ha ! Que c'est mal dit, mon maistre !
Ou il est ? [Et] Dieu, par sa grace,
le sachë ! Il garde la place.
Ou il est ? le povre martir !
516 Unze sepmaines sans partir !

LE DRAPPIER

Le[1]... Qui ?

GUILLEMETTE

Pardonnez moy, je n'ose
parler hault : je croy qu'il repose,
il est ung petit aplommé.
520 Helas ! il est si assomé,
le povre homme !

LE DRAPPIER

Qui ?

GUILLEMETTE

Maistre Pierre !

LE DRAPPIER

Quoy ? n'est il pas venu querre
six aulnes de drap maintenant ?

GUILLEMETTE

524 Qui ? Luy ?

LE DRAPPIER

Il en vient tout venant,
n'a pas la moitié d'ung quart d'heure.
Delivrez moy. Dea ! je demeure

1. De *dans l'Imprimé.*

GUILLEMETTE

Ah ! quel manque de tact, mon maître !
Où il est ? Puisse Dieu, par sa grâce,
le savoir ! Il garde la chambre.
Où il est ? Le pauvre martyr !
516 Onze semaines sans en bouger !

LE DRAPIER

Le... Qui ?

GUILLEMETTE

Pardonnez-moi, je n'ose
parler haut : je crois qu'il repose,
il est un peu abattu.
520 Hélas ! Il est complètement assommé,
le pauvre homme !

LE DRAPIER

Qui ?

GUILLEMETTE

Maître Pierre !

LE DRAPIER

Quoi ? N'est-il pas venu chercher
six aunes de drap à l'instant ?

GUILLEMETTE

524 Qui ? lui ?

LE DRAPIER

Il en vient tout juste,
il n'y a pas la moitié d'un quart d'heure.
Payez-moi de suite. Diable ! Je m'attarde

beaucop ! Sa, sans plus flageoler,
528 mon argent !

GUILLEMETTE

Hee, sans rigoler !
Il n'est pas temps que l'on rigole.

LE DRAPPIER

Sa, mon argent ! Estes vous folle ?
Il me fault neuf frans.

GUILLEMETTE

Ha ! Guillaume,
532 il ne fault point couvrir de chaume
ycy. Me bailliez ses brocars ?
Alez sorner a voz coquars,
a qui vous vouldr[ï]ez jouer.

LE DRAPPIER

536 Je (ne) puisse Dieu desavouer
se je n'ay neuf frans !

GUILLEMETTE

Helas ! sire,
chascun n'a pas si fain de rire
comme vous, ne de flagorner.

LE DRAPPIER

540 Dittes, je vous prie, sans sorner,
par amour, faictes moy venir
maistre Pierre.

GUILLEMETTE

Mesavenir
vous puist il ! Et esse a meshuy ?

trop ! Ça, sans plus de boniments,
528 mon argent !

GUILLEMETTE

Holà ! trêve de plaisanteries !
Ce n'est pas le moment de plaisanter !

LE DRAPIER

Çà, mon argent ! Êtes-vous folle ?
Il me faut neuf francs.

GUILLEMETTE

Ah ! Guillaume,
532 il ne faut nous prendre pour des imbéciles.
Vous venez ici me lancer vos railleries ?
Allez conter ces sornettes aux benêts
avec qui vous voudriez vous amuser.

LE DRAPIER

536 Je veux bien renier Dieu
si je n'ai neuf francs !

GUILLEMETTE

Hélas ! sire,
chacun n'a pas envie de rire
comme vous, ni de parler à tort et à travers.

LE DRAPIER

540 Dites, je vous en prie, sans plaisanter,
s'il vous plaît, faites venir
maître Pierre.

GUILLEMETTE

Que le malheur retombe
sur vous ! N'est-ce pas fini ?

LE DRAPPIER

544 N'esse pas cëans que je suis
chez maistre Pierre Pathelin ?

GUILLEMETTE

Ouÿ. Le mal saint Mathurin,
sans le mien, au cerveau [1] vous tienne !
548 Parlez bas !

LE DRAPPIER

Le dyable y adviengne,
ne l'oseray je demander ?

GUILLEMETTE

A Dieu me puisse commander !
Bas, se voulez qu'i ne s'esveille !

LE DRAPPIER

552 Quel bas ? Voulez vous en l'oreille,

au fons du puis ou de la cave ?

GUILLEMETTE

Hé ! Dieu, que vous avez de bave !
Au fort, c'est tousjours vostre guise.

LE DRAPPIER

556 Le dyable y soit, quant je m'avise !
Se voulez que je parle bas...
Dittes sa ! Quant e[s]t de debas
ytelz, je ne l'ay point aprins,
560 Vray est que maistre Pierre a prins
six aulnes de drap aujourd'huy.

GUILLEMETTE

Et qu'esse cy ? Esse a meshuy ?

1. au cueur *dans l'Imprimé.*

LE DRAPIER

544 Est-ce que je ne suis pas ici même
chez maître Pierre Pathelin ?

GUILLEMETTE

Si. Que le mal de saint Mathurin
(Dieu m'en garde !) vous prenne au cerveau !
548 Parlez bas !

LE DRAPIER

Que le diable s'en mêle
si je n'ose le demander !

GUILLEMETTE

Puissé-je me recommander à Dieu !
Tout bas, si vous ne voulez pas qu'il se réveille !

LE DRAPIER

552 Quel « bas » ? Voulez-vous qu'on vous parle à [l'oreille,
au fond du puits ou de la cave ?

GUILLEMETTE

Hé ! mon Dieu, que vous avez de salive !
D'ailleurs, c'est toujours comme ça avec vous !

LE DRAPIER

556 Le diable vous emporte, maintenant que j'y pense !
Si vous voulez que je parle bas...
Dites donc ! Quant aux discussions
de ce genre, ce n'est pas dans mes habitudes.
560 La vérité est que maître Pierre a pris
six aunes de drap aujourd'hui.

GUILLEMETTE, *en criant de plus en plus fort*

Qu'est-ce que c'est que cette histoire ? N'est-ce pas [fini ?

Dyable y ait part ! Aga, qué « prendre » ?

564 Ha ! sire, que l'en le puist pendre
qui ment ! Il est en tel parti,
le povre homme, qu'il ne partit
du lit y a unze sepmaines.
568 Nous baillez vous de voz trudaines ?
Maintenant en esse rayson ?
Vous vuiderez de ma maison.
Par les angoisses Dieu, moy lasse !

LE DRAPPIER

572 Vous disïez que je parlasse
si bas. Saincte benoiste Dame,
vous criez !

GUILLEMETTE

C'estes vous, par m'ame,
qui ne parlez fors que de noise !

LE DRAPPIER

576 Dittes, affin que je m'en voise,
baillez moy...

GUILLEMETTE

Parlez bas ! Ferez ?

LE DRAPPIER

Mais vous mesmes l'esveillerez :
vous parlez plus hault quatre fois,
580 par le sang bieu, que je ne fais.
Je vous requier qu'on me delivre.

GUILLEMETTE

Et qu'esse cy ? Estes vous yvre
ou hors du sens, Dieu nostre pere ?

Que le diable s'en mêle ! Voyons, qu'entendez-vous
[par « prendre » ?
564 Ah ! sire, puisse-t-on pendre
celui qui ment ! Il est dans un tel état,
le pauvre homme, qu'il n'a pas quitté
le lit depuis onze semaines.
568 Nous débiter de vos balivernes,
est-ce bien le moment ?
Vous sortirez de ma maison.
Par les angoisses de Dieu, quel malheur !

LE DRAPIER

572 Vous me demandiez de parler
si bas... Sainte Vierge Marie,
vous criez !

GUILLEMETTE

C'est vous, par mon âme,
qui ne faites que chercher des noises !

LE DRAPIER

576 Dites, si vous voulez que je m'en aille,
donnez-moi...

GUILLEMETTE

Parlez bas ! Oui ?

LE DRAPIER

Mais c'est vous qui allez le réveiller :
vous parlez quatre fois plus fort
580 que moi, palsambleu.
Je vous adjure de me payer.

GUILLEMETTE

Mais quelle est cette histoire ? Êtes-vous saoul
ou insensé, par Dieu notre Père ?

LE DRAPPIER

584 Yvre ? Maugré en ait saint Pere,
vecy une belle demande !

GUILLEMETTE

Helas ! plus bas !

LE DRAPPIER

Je vous demande
pour six aulnes, bon gré saint George,
588 de drap, damë.

GUILLEMETTE

On le vous forge !
Et a qui l'avez vous baillé ?

LE DRAPPIER

A luy mesmes.

GUILLEMETTE

Il est bien taillé
d'avoir drap ! Helas ! il[1] ne hobe ;
592 il n'a nul mestier d'avoir robe ;
jamais robe ne vestira
que de blanc, ne ne partira
dont il est que les piés devant.

LE DRAPPIER

596 C'est donc depuis soleil levant,
car j'ay a luy parlé, sans faulte.

GUILLEMETTE

Vous avez la voix si treshaulte :
parlez plus bas, en charité !

1. ie *dans l'Imprimé.*

LE DRAPIER

584 Saoul ? Par la malédiction de saint Pierre,
voilà une belle question !

GUILLEMETTE

Hélas ! plus bas !

LE DRAPIER

Je vous demande le prix
de six aunes de drap, Madame,
588 pour l'amour de saint Georges.

GUILLEMETTE

en aparté.

On vous le fabrique !
Et à qui l'avez-vous donc donné ?

LE DRAPIER

A lui-même.

GUILLEMETTE

Il est bien en état
d'avoir du drap ! Hélas ! Il ne bouge pas ;
592 il n'a aucun besoin d'avoir une robe,
jamais il ne revêtira d'autre robe
que blanche, et il ne partira,
d'où il est, que les pieds devant.

LE DRAPIER

596 C'est donc depuis le lever du soleil,
car je lui ai parlé, sûr et certain.

GUILLEMETTE

Vous avez la voix si aiguë :

D'une voix perçante.

parlez plus bas, je vous en supplie.

LE DRAPPIER

600 C'estes vous, par ma verité!
Vous mesmes, en sanglante estraine!
Par le sanc bieu, vecy grant paine!
Qui me paiast, je m'en alasse.

604 Par Dieu, oncques que je prestasse,
je n'en trouvé point aultre chose!

PATHELIN

Guillemette, ung peu d'eaue rose!
haussez moy, serrez moy derriere.
608 Trut[1], a qui parlé je? L'esguiere,
a boire! Frotez moy la plante!

LE DRAPPIER

Je l'os la.

GUILLEMETTE

Voire.

PATHELIN

Ha! meschante,
viens sa! T'avois je fait ouvrir
612 ces fenestres? Vien moy couvrir!
Oste ses gens noirs! Marmara,
carimari, carimara!
Amenez les moy, amenez!

GUILLEMETTE

616 Qu'esse? Comment vous demenez!
Estez vous hors de vostre sens?

PATHELIN

Tu ne vois pas ce que je sens.
Vela ung moisne noir qui vole!

1. tout *dans l'Imprimé.*

LE DRAPIER

600 Mais c'est vous, en vérité,
oui, vous, mille tonnerres !
Palsambleu, quelle affaire !
Si on me payait, je m'en irais.

en aparté.

604 Parbleu, chaque fois que j'ai fait crédit,
je n'ai rien trouvé d'autre.

PATHELIN

Guillemette, un peu d'eau de rose !
Haussez-moi, là, dans le dos.
608 Allons, à qui donc je parle ? La carafe !
à boire ! Frottez-moi la plante des pieds !

LE DRAPIER

Je l'entends là.

GUILLEMETTE

Oui, c'est vrai !

PATHELIN

Ha ! malheureuse,
viens ici ! T'avais-je fait ouvrir
612 ces fenêtres ? Viens me couvrir !
Chasse ces gens noirs ! Marmara,
carimari, carimara !
Emmenez-les loin de moi, emmenez-les !

GUILLEMETTE

616 Qu'y a-t-il ? Comme vous vous agitez !
Avez-vous perdu votre bon sens ?

PATHELIN

Tu ne sais pas ce que je ressens.
Voilà un moine noir qui vole !

620 Prens le, bailles luy une estolle.
Au chat, au chat ! Comment il monte !

GUILLEMETTE

Et qu'esse cy ? N'av' ous pas honte ?
Et, par Dieu, c'est trop remué !

PATHELIN

624 Ces phisicïens m'ont tué
de ses brouliz qu'ilz m'ont fait boire ;
et toutesfois les fault il croire !
Ilz en œuvrent comme de cire.

GUILLEMETTE

628 Helas ! venez vëoir, beau sire :
il est si tresmal pacïent.

LE DRAPPIER

Est il malade a bon essïent
puis orains qu'il vint de la foire ?

GUILLEMETTE

632 De la foire ?

LE DRAPPIER

Par saint Jehan, voire ;
je cuide qu'il y a esté.
Du drap que je vous ay presté,
il m'en fault l'argent, maistre Pierre.

PATHELIN

636 Ha ! maistre Jehan, plus dur que pierre
j'ay chié deux petites crotes,
noires, rondes comme pelotes ;
prenderay je ung aultre cristere ?

620 Prends-le, passe-lui une étole.
Au chat, au chat ! Comme il grimpe !

GUILLEMETTE

Qu'est-ce qu'il y a ? N'avez-vous pas honte ?
Eh ! parbleu, vous vous remuez trop !

PATHELIN

624 Ces médecins m'ont tué
avec ces bouillons qu'ils m'ont fait boire ;
et pourtant il faut leur faire confiance !
Ils nous manient comme de la cire.

GUILLEMETTE

628 Hélas ! venez le voir, cher monsieur :
il souffre le martyre.

LE DRAPIER

Est-il malade pour de bon,
depuis tout à l'heure qu'il est revenu de la foire ?

GUILLEMETTE

632 De la foire ?

LE DRAPIER

Par saint Jean, oui :
je crois bien qu'il y a été.
Pour le drap dont je vous ai fait crédit,
il m'en faut l'argent, maître Pierre.

PATHELIN

636 Ah ! Maître Jean, plus dur que pierre
j'ai chié deux petites crottes,
noires, rondes comme des pelotes ;
prendrai-je un autre clystère ?

LE DRAPPIER

640 Et que sçay je ? Qu'en ay je a faire ?
Neuf frans m'y fault ou six escus.

PATHELIN

Ces trois morceaux noirs et becuz,
les m'appellés vous pillouëres ?
644 Ilz m'ont gasté les machouëres.
Pour Dieu, ne m'en faictes plus prendre,
maistre Jehan ! Ilz ont fait tout rendre.
Ha ! il n'est chose plus amere !

LE DRAPPIER

648 Non ont, par l'ame de mon pere :
mes neufz frans ne sont point rendus.

GUILLEMETTE

Parmi le col soyënt pendus
telz gens qui sont si empeschables !
652 Alez vous en, de par les dyables,
puisque de par Dieu ne peult estre !

LE DRAPPIER

Pour celluy Dieu qui me fist naistre,
j'auray mon drap ains que je fine,
656 ou mes neuf frans !

PATHELIN

Et mon orine,
vous dit elle point que je meure ?
Helas ! pour Dieu, quoy qu'il demeure,
que je ne passe point le pas !

GUILLEMETTE

660 Alez vous en ! Et n'esse pas
mal fait de ly tuer la teste ?

LE DRAPIER

640 Qu'est-ce que j'en sais ? Je n'en ai rien à faire !
Il me faut neuf francs ou six écus.

PATHELIN

Ces trois morceaux noirs et pointus,
les appelez-vous des pilules ?
644 Ils m'ont abîmé les mâchoires.
Je vous en prie, ne m'en faites plus prendre,
maître Jean ! Ils m'ont tout fait rendre.
Ah ! il n'y a rien de plus amer !

LE DRAPIER

648 Non point, par l'âme de mon père ;
vous n'avez pas rendu mes neuf francs.

GUILLEMETTE

Que par le cou soient pendus
des individus aussi empoisonnants !
652 Allez-vous-en, par tous les diables,
puisque c'est impossible pour l'amour de Dieu !

LE DRAPIER

De par le Dieu qui me fit naître,
j'aurai mon drap avant de partir,
656 ou mes neuf francs !

PATHELIN

Et mon urine,
est-ce qu'elle vous dit que je meurs ?
Hélas ! par Dieu, j'accepte tout,
mais que je ne trépasse pas !

GUILLEMETTE

660 Allez-vous-en ! N'est-ce pas
honteux de lui casser la tête ?

LE DRAPPIER

Damedieu en ait male feste !
Six aulnes de drap, maintenant !
664 Dittes, esse chose advenant,
par vostre foy, que je les perde ?

PATHELIN

Se peussiez esclarcir ma merde,
maistre Jehan ! Elle est si tresdure
668 que je ne sçay comment je dure
quant elle yst hors du fondement.

LE DRAPPIER

Il me fault neuf frans rondement,
que, bon gré saint Pierre de Romme...

GUILLEMETTE

672 Helas ! tant tormentez cest homme !
Et comment estes vous si rude ?
Vous veëz clerement qu'il cuide
que vous soyez phisicïen.
676 Helas ! le povre chrestïen
a assés de male meschance :
unze sepmaines sans laschance
a esté illec, le povre homme !

LE DRAPPIER

680 Par le sanc bieu, je ne sçay comme
cest accident luy est venu,
car il est aujourd'huy venu
et avons marchandé ensemble,
684 a tout le moins comme il me semble,
ou je ne sçay que ce peult estre.

GUILLEMETTE

Par Nostre Dame, mon doulx maistre,
vous n'estes pas en bon memoire ;

LE DRAPIER

Bon Dieu de nom de Dieu !
Six aunes de drap, tout de suite !
664 Dites, est-il convenable,
sincèrement, que je les perde ?

PATHELIN

Ah ! si vous pouviez ramollir ma merde,
maître Jean ! Elle est tellement dure
668 que je ne sais comment je résiste
quand elle me sort du fondement.

LE DRAPIER

Il me faut neuf francs tout ronds,
car, par le plaisir de saint Pierre de Rome...

GUILLEMETTE

672 Hélas ! vous torturez tant cet homme !
Comment pouvez-vous être si dur ?
Vous voyez clairement qu'il s'imagine
que vous êtes médecin.
676 Hélas ! le pauvre chrétien
a bien assez de malheur :
onze semaines sans relâche
il est resté là, le pauvre homme !

LE DRAPIER

680 Palsambleu, je ne sais comment
cette mésaventure lui est arrivée,
car il est venu aujourd'hui même
et nous avons conclu une affaire,
684 du moins à ce qu'il me semble,
ou je ne sais pas ce qui se passe.

GUILLEMETTE

Par Notre-Dame, mon bon maître,
vous n'avez pas toute votre tête.

688 sans faulte, se me voulez croire,
vous irez ung peu reposer.
Moult de gens pourroiënt gloser
que vous venez pour moy cëans.
692 Alez hors ! les phisicïens
viendront ycy tout en presence.
Je n'é cure que l'en y pense
a mal, car je n'y pense point.

LE DRAPPIER

696 Et, maugré bieu, suis je en ce point ?
Par la teste Dieu, je cuidoye...
Encor, et n'avez vous point d'oye
[au feu] ?

GUILLEMETTE

C'est tresbelle demande !
700 Ha, sire, ce n'est pas vïande
pour malades. Mangez voz oes
sans nous venir jouer des moes.
Par ma foy, vous estes trop aise !

LE DRAPPIER

704 Je vous prie qu'il ne vous desplaise,
car je cuidoye fermement...

Encor[e], par le sacrement
Dieu ! Dea, ores je vois savoir.
708 Je sçay bien que j'en doy avoir
six aulnes tout en une piece,
mais ceste femme me depiece
de tous poins mon entendement.
712 Il les a eues vrayëment !
Non a, dea, il ne se peult joindre :
j'ay veu la Mort qui le vient poindre,
au mains, ou il le contrefait.
716 Et si a ! Il les print de fait
et les mist dessoubz son esselle.
Par saincte Marie la belle,

688 Sans faute, si vous m'en croyez,
vous irez vous reposer un peu.
Bien des gens pourraient raconter
que vous venez ici pour moi.
692 Sortez ! les médecins
vont bientôt arriver ici même.
Je ne veux pas qu'on l'interprète
mal, car moi je n'y pense pas.

LE DRAPIER

696 Ah ! par Dieu, en suis-je rendu là ?
Par la tête de Dieu, je croyais...
Un dernier mot : n'avez-vous point d'oie
au feu ?

GUILLEMETTE

La belle question !
700 Ah ! sire, ce n'est pas de la nourriture
pour malades. Mangez vos oies
sans venir nous faire vos grimaces.
Ma foi, vous en prenez trop à votre aise !

LE DRAPIER

704 Je vous prie de me le pardonner,
car je croyais dur comme fer...
Guillaume se met à bafouiller, et s'éloigne.
Un mot encore, par le Sacrement
de Dieu ! Diable, je vais aller vérifier.
708 Je sais que je dois avoir
six aunes en un seul coupon,
mais cette femme me chamboule
totalement la cervelle.
712 Il les a eues, oui, vraiment !
Non point. Diable, ça ne va pas,
j'ai vu la Mort prête à le piquer de son dard,
c'est sûr, ou il joue la comédie.
716 Oh ! il les a ! Il les a bien prises
et mises sous son aisselle.
Par sainte Marie la belle,

non a ! je ne sçay se je songe,
720 je n'ay point aprins que je donge
mes draps, en dormant ne veillant,
a nul, tant soit mon bienveillant ;
je ne les eusse point acreues.
724 Par le sanc bieu, il les a eues !
Par la mort [bieu], non a ! Se tiens je :
non a. Mais a quoy donc en vien ge[1] ?
Si a ! Par le sanc Nostre Dame,
728 meschoir puist il de corps et d'ame,
se je soye, qui sauroit a dire
qui a le meilleur ou le pire
d'eulx ou de moy : je n'y voy goute.

PATHELIN

732 S'en est il alé ?

GUILLEMETTE

Paix, j'escoute !
Ne sçay quoy qu'i va flageolant :
il s'en va si fort grumelant
qu'i semble qu'i poye resver.

PATHELIN

736 Il n'est pas temps de me lever ?
Comme est il arrivé a point !

GUILLEMETTE

Je ne sçay s'il reviendra point.

Nenny, dea, ne bougez encore :
740 nostre fait seroit tout freloire
s'il vous trouvoit levé.

PATHELIN

Saint George,
qu'est il venu a bonne forge,
luy qui est si tresmescrëant !

1. viengne *dans l'Imprimé.*

non, il ne les a pas ! Je ne sais si je rêve,
720 je n'ai pas l'habitude de donner
mes étoffes, que je dorme ou que je veille,
à qui que ce soit, même à mon meilleur ami,
je ne les aurais pas données à crédit.
720 Palsambleu, il les a eues !
Morbleu, il ne les a pas eues ! Je l'affirme :
il ne les a pas ! Mais qu'est-ce que je raconte ?
Si, il les a ! Par le sang de Notre-Dame,
728 puisse-t-il se perdre corps et âme,
moi compris, celui qui pourrait dire
qui a raison ou tort
d'eux ou de moi : je n'y vois goutte.

PATHELIN, *à voix basse*

732 S'en est-il allé ?

GUILLEMETTE

Silence ! J'écoute.
Je ne sais ce qu'il marmotte :
il s'en va en grommelant si fort
qu'il donne l'impression de délirer.

PATHELIN

736 Ce n'est pas le moment de me lever ?
Comme il est arrivé à point nommé !

GUILLEMETTE

Je ne sais s'il ne va pas revenir.

Pathelin veut se lever.

Non, non, diable, ne bougez pas encore :
740 toute notre affaire serait fichue,
s'il vous trouvait debout.

PATHELIN

Saint Georges,
comme il s'est fait rouler dans la farine,
lui qui ne croit à rien !

744 Il est en luy trop mieulx sëant
que ung crucifix en ung monstier.

GUILLEMETTE

En ung tel or villain brutier
oncq lart es pois ne cheut si bien.
748 Avoy [1] ! dea, il ne faisoit rien
aux dimenches !

PATHELIN

Pour Dieu, sans rire !
S'il venoit, il pourroit trop nuyre ;
je m'en tiens fort qu'il reviendra.

GUILLEMETTE

752 Par mon serment, il s'en tiendra
qui vouldra, mais je ne pourroye.

LE DRAPPIER

Et, par le saint soleil qui raye,
je retourneray, qui qu'en grousse,
756 chiez cest advocat d'eau doulce.
Hé ! Dieu, quel retraieur de rentes
que ses parens ou ses parentes
avoyent vendus ! Or, par saint Pierre,
760 il a mon drap, le faulx tromperre :
je luy baillé en ceste place !

GUILLEMETTE

Quant me souvient de la grimace
qu'il faisoit en vous regardant,
764 je ry... Il estoit si ardant
de demander...

1. quoy *dans l'Imprimé.*

744 La leçon lui convient mieux
qu'un crucifix dans une église.

GUILLEMETTE

Jamais une telle ordure de canaille
n'avala si bien du lard aux pois.
748 Eh bien quoi ! diable, il ne faisait pas d'aumône
le dimanche !

Elle s'esclaffe.

PATHELIN

Parbleu, ne ris pas !
S'il revenait, il pourrait nous en cuire ;
je suis sûr qu'il va revenir.

GUILLEMETTE

752 Ma foi, se retiendra
qui voudra, moi, j'en suis incapable.

Elle continue à rire.

LE DRAPIER

Eh bien ! par le saint soleil qui luit,
je retournerai, grogne qui veut,
756 chez cet avocat d'eau douce.
Mon Dieu, un beau racheteur de rentes
que ses parents ou ses parentes
avaient vendues ! Par saint Pierre,
760 il a mon drap, le sale trompeur :
je le lui ai donné ici même !

GUILLEMETTE

Quand je me souviens de la grimace
qu'il faisait en vous regardant,
764 je ris... il ne pensait
qu'à demander...

Elle rit.

PATHELIN

Or paix, rïace !
Je regni bieu, — que ja ne face —

S'il advenoit qu'on vous ouÿst,
768 autant vauldroit qu'on s'en fouÿst :
il est si tresrebarbatif !

LE DRAPPIER

Et cest advocat potatif
a trois leçons et trois psëaulmes,
772 et tient il les gens pour Guillaumes ?
Il est, par Dieu, aussi pendable
comme seroit ung blanc prenable.
Il a mon drap ou jerni bieu[1] !
776 et m'a il joué de ce jeu...
Haula ! ou estes vous fouÿe ?

GUILLEMETTE

Par mon serment, il m'a ouÿe ?
Il semble qu'il doye desver.

[PATHELIN]

780 Je feray semblant de resver.
Alez la.

GUILLEMETTE

Comment vous crïez !

LE DRAPPIER

Bon gré en ait Dieu, vous rïez !
Sa, mon argent !

1. ou je regnie bieu *dans l'Imprimé.*

PATHELIN

Silence, tête de linotte !
Je renie Dieu... Que je ne le fasse jamais !
Il fait le signe de la croix.
S'il arrivait qu'on vous entendît,
768 nous n'aurions plus qu'à nous enfuir :
il est tellement coriace !

LE DRAPIER

Et cet ivrogne d'avocat,
cet avocat de rien du tout,
772 prend-il donc les gens pour des jobards ?
Il est, pardi, aussi bon à pendre
qu'une piécette serait bonne à prendre.
Il a mon drap, ou je renie Dieu !
776 Il m'a bien roulé à ce jeu...
Holà ! où êtes-vous passée ?
Guillaume, de retour chez Pathelin, appelle Guillemette.

GUILLEMETTE

Je parie qu'il m'a entendue !
Il semble qu'il va perdre la tête.

PATHELIN

780 Je ferai semblant de délirer.
Allez ouvrir.

GUILLEMETTE

Elle ouvre la porte.
Comme vous criez !

LE DRAPIER

Miséricorde ! vous riez !
Çà, mon argent !

GUILLEMETTE

Saincte Marie,
784 de quoy cuidez vous que je rie ?
Il n'y a si dolent en la feste.
Il s'en va. Oncques tel tempeste
ne ouÿstes ne tel frenaisie.
788 Il est encor en resverie :
il resve, il chantë, il fatroulle
tant de langaiges, et barbouille.
Il ne vivra pas demye heure.
792 Par ceste ame, je ris et pleure
ensemble.

LE DRAPPIER

Je ne sçay quel rire
ne quel plourer : a bref vous dire,
il fault que je soye payé !

GUILLEMETTE

796 De quoy ? Estes vous desvoyé ?
Recommancez vous vostre verve ?

LE DRAPPIER

Je n'ay point aprins qu'on me serve
de telz motz en mon drap vendant.
800 Me voulez vous faire entendant
de vecies que ce sont lanternes ?

PATHELIN

Sus, tost ! la royne des guiternes,
a coup, qu'el(le) me soit aprouchee !
804 Je sçay bien qu'elle est acouchee
de vingt et quatre guiterneaux,
enfans a l'abbé d'Iverneaux ;
il me fault estre son compere.

GUILLEMETTE

Sainte Marie,
784 de quoi voulez-vous que je rie ?
Il n'y a pas plus triste à la fête.
Il se meurt. Jamais vous n'avez entendu
pareille tempête ni pareille frénésie.
788 Il est encore à délirer :
il délire, il chante, il embrouille
tant de langages, et il bredouille.
Il ne vivra pas une demi-heure.
792 Par mon âme, je ris et pleure
à la fois.

LE DRAPIER

Je ne sais s'il y a de quoi
rire ou pleurer ; mais en un mot,
il faut que je sois payé !

GUILLEMETTE

796 De quoi ? Êtes-vous dérangé ?
Recommencez-vous vos folies ?

LE DRAPIER

Je n'ai point l'habitude qu'on me paie
de semblables propos quand je vends mon drap.
800 Voulez-vous me faire prendre
des vessies pour des lanternes ?

PATHELIN

Debout, vite ! La reine des guitares,
que, de suite, on l'approche de moi !
804 Je sais bien qu'elle a accouché
de vingt-quatre petites guitares,
enfants de l'abbé d'Iverneaux :
je veux être son compère.

GUILLEMETTE

808 Helas ! pensez a Dieu le pere,
mon amy, non pas en guiternez !

LE DRAPPIER

Hé ! quel bailleur de balvernes !
Sont ce cy ? Or tost que je soye
812 payé en or ou en monnoye
de mon drap que vous avez prins !

GUILLEMETTE

Hé dea ! se vous avez mesprins
une fois, ne suffist il mye ?

LE DRAPPIER

816 Savez vous qu'il est, belle amye ?
M'aist Dieu, je ne sçay quel mesprendre !
Mais quoy ! il couvient rendre ou pendre.
Quel tort vous fais je se je vien
820 cëans pour demander le myen,
que, bon gré saint Pierre de Romme...

GUILLEMETTE

Helas ! tant tormentez cest homme !
Je voy bien a vostre visaige,
824 certes, que vous n'estes pas saige.
Par ceste pecheresse lasse,
se j'eusse aide, je vous lïasse :
vous estes trestout forcené !

LE DRAPPIER

828 Helas ! j'enraige que je n'ay
mon argent.

GUILLEMETTE

Ha ! quel(le) nicetté !

GUILLEMETTE

808 Hélas ! pensez à Dieu le Père,
mon ami, et non pas à des guitares !

LE DRAPIER

Hé ! quel conteur de balivernes !
N'en est-ce pas ? Et maintenant vite, que je sois
812 payé en or ou en monnaie
pour mon drap que vous avez pris !

GUILLEMETTE

Hé ! diable, vous vous êtes déjà trompé
une fois, et ça ne suffit pas ?

LE DRAPIER

816 Savez-vous de quoi il s'agit, chère amie ?
Dieu m'aide, moi, me tromper ?
Mais quoi ! il faut rendre ; sinon, pendu.
Quel tort je vous fais si je viens
820 ici pour réclamer mon dû,
car, par saint Pierre de Rome...

GUILLEMETTE

Hélas ! vous tourmentez tant cet homme !
Je vois bien à votre visage,
824 c'est sûr, que vous n'avez pas votre bon sens.
Par la foi d'une pauvre pécheresse,
si j'avais de l'aide, je vous ligoterais :
vous êtes complètement fou !

LE DRAPIER

828 Hélas ! j'enrage de ne pas avoir
mon argent.

GUILLEMETTE

Ah ! quelle bêtise !

Seignez vous, *benedicite*,
faictes le signe de la croix!

LE DRAPPIER

832 Or regnie je bieu se j'acroix
de l'annee drap! Quel malade!

PATHELIN

Mere de Dieu, la coronade,
par [ma] fye, y m'en vuol anar,
836 or regn[i]e biou, oultre la mar!
Ventre de Diou, z'en dis gigone!
Çastuy ça rible et res ne done.
Ne carrilaine, fuy ta none!
840 Que de l'argent il [ne] me sone!
Avez entendu, beau cousin?

GUILLEMETTE

Il eust ung oncle lymosin
qui fut frere de sa belle ante :
844 c'est ce qui le fait, je me vante,
gergonner en limosinois.

LE DRAPPIER

Dea! il s'en vint en tapinois,
atout mon drap soubz son esselle!

PATHELIN

848 Venez ens, doulce damiselle,
et que veult ceste crapaudaille?
Alez en arriere, merdaille!
Sa, tost! je vueil devenir prestre.
852 Or sa! que le dyable y puist estre,
en chelle vielle presterie!
Et fault il que le prestre rie
quant il dëust chanter sa messe?

Signez-vous, *benedicite*,
faites le signe de la croix !

Elle fait le signe de la croix.

LE DRAPIER

832 Que je renie Dieu si, de toute l'année,
je vends du drap à crédit ! Quel malade !

Pathelin s'agite.

PATHELIN

Mere de Dieu, la coronade,
par ma fye, y m'en vuol anar,
836 Or regnie biou, oultre la mar !
Ventre de Diou, z'en dis gigone !
Çastuy çà rible et res ne done.
Ne carrilaine, fuy ta none !
840 Que de l'argent il ne me sone !
Avez entendu, beau cousin ?

GUILLEMETTE

Il eut un oncle limousin
qui fut le frère de sa grand-tante :
844 c'est ce qui le fait, j'en suis sûre,
jargonner en limousin.

LE DRAPIER

Dame ! il est parti en catimini,
avec mon drap sous son bras !

PATHELIN

848 Rentrez, douce demoiselle.
Que veulent donc tous ces crapauds ?
Reculez, tas de merde !
Vite ! je veux devenir prêtre.
852 Allons ! Que le diable prenne sa part
en ce nid de vieux prêtres !
Et faut-il que le prêtre rie,
quand il devrait chanter sa messe ?

GUILLEMETTE

856 Helas ! helas ! l'heure s'apresse
qu'il fault son dernier sacrement !

LE DRAPPIER

Mais comment parle il proprement
picart ? Dont vient tel cocardie ?

GUILLEMETTE

860 Sa mere fust de Picardie ;
pour ce le parle il maintenant.

PATHELIN

Dont viens tu, caresme prenant ?
Vuacarme, liefe gode man ;
864 etlbelic bed igluhe golan ;
Henrien, Henrien, conselapen ;
ych salgneb nede que maignen ;
grile grile, scohehonden ;
868 zilop zilop en mon que bouden ;
disticlien unen desen versen ;
mat groet festal ou truit denhersen ;
en vuacte vuile, comme trie !
872 Cha, a dringuer, je vous en prie ;
quoy act semigot yaue,
et qu'on m'y mette ung peu d'ëaue,
vuste vuille, pour le frimas !
876 Faictes venir sire Thomas
tantost, qui me confessera.

LE DRAPPIER

Qu'est cecy ? Il ne cessera
huy de parler divers langaiges ?
880 Au moins qu'il me baillast ung gage
ou mon argent, je m'en alasse !

GUILLEMETTE

856 Hélas ! hélas ! l'heure approche
pour lui des derniers sacrements.

LE DRAPIER

Mais comment parle-t-il couramment
picard ? D'où vient cette folie ?

GUILLEMETTE

860 Sa mère était de Picardie ;
c'est pourquoi il le parle maintenant.

PATHELIN

D'où viens-tu, face de carnaval ?
Vuacarme, liefe gode man ;
864 etlbelic bed igluhe golan ;
Henrien, Henrien, conselapen ;
ych salgneb nede que maignen ;
grile, grile scohehonden ;
868 zilop zilop en mon que bouden ;
disticlien unen desen versen ;
mat groet festal ou truit denhersen ;
en vuacte vuile, comme trie !
872 Ah ! oui, trinquons, je vous en prie ;
quoy act semigot yaue,
et qu'on m'y mette ung peu d'eau,
vuste vuille, pour le frimas !
876 Faites venir tout de suite
sire Thomas, qui me confessera.

LE DRAPIER

Qu'est-ce donc ? Il ne cessera
aujourd'hui de parler toutes sortes de langues ?
880 Au moins, s'il me donnait un gage
ou mon argent, je m'en irais !

GUILLEMETTE

Par les angoisses Dieu, moy lasse!
Vous estes ung bien divers homme!
884 Que voulez-vous? Je ne sçay comme
vous estes si fort obstiné.

PATHELIN

Or cha, Renouart au tiné!
Bé! dea, que ma couille est pelouse!
888 El(le) semble une cate pelouse
ou a une mousque a mïel.
Bé! parlez a moy, Gabrïel.
Les play(e)s Dieu, qu'esse qui s'ataque
892 a men coul? Essë une vaque,
une mousque ou ung escarbot?
Bé! dea, j'é le mau saint Garbot!
Suis [je] des foyreux de Baieux?
896 Jehan du Quemin sera joyeulz
mais qu'i sache que je le sé(e).
Bee! par saint Miquiel, je beré
voulentiers a luy une fes!

LE DRAPPIER

900 Comment peult il porter le fes
de tant parler? Ha! il s'afolle!

GUILLEMETTE

Celluy qui l'aprint a l'escole
estoit normant; ainsi advient
904 qu'en la fin il luy en souvient.
Il s'en va!

LE DRAPPIER

Ha! saincte Marie,
vecy la plus grant resverie
ou je fusse onques mes bouté;
908 jamais ne me fusse doubté
qu'il n'eust huy esté a la foire.

GUILLEMETTE

Par la Passion de Dieu, quel malheur !
Vous êtes un homme bien étrange.
884 Que cherchez-vous ? Je ne comprends pas pourquoi vous êtes si obstiné.

PATHELIN

Par ici, Renouard au pilon !
Diantre ! que ma couille est poilue !
888 Elle ressemble à une chenille
ou à une mouche à miel.
Bé ! parlez à moi, Gabriel.
Par les plaies de Dieu, qu'est-ce qui s'attaque
892 à mon cou ? Est-ce une vache,
une mouche ou un bousier ?
Bé ! diable, j'ai le mal de saint Garbot.
Suis-je des foireux de Bayeux ?
896 Jean Tout le Monde sera joyeux,
pourvu qu'il sache que j'en suis.
Bée ! par saint Michel, je boirai
volontiers un coup à sa santé.

LE DRAPIER

900 Comment peut-il supporter la fatigue
de tant parler ? Ah ! il devient fou !

GUILLEMETTE

Celui qui fut son maître à l'école
était normand ; de là vient,
904 que, sur sa fin, il s'en souvient.
Il s'en va !

LE DRAPIER

Ah ! Sainte Marie,
C'est bien le plus extraordinaire délire
où j'aie jamais été fourré !
908 Jamais je n'aurais mis en doute
qu'il soit aujourd'hui allé à la foire.

GUILLEMETTE

Vous le cuidiez ?

LE DRAPPIER

Saint Jaques, voire !
Mais j'aperçoys bien le contraire !

PATHELIN

912 Sont il ung asn(e) que j'orré braire ?

Alast ! alast ! cousin a moy,
ilz le seront, en grant esmoy,
le jour quant je ne te verré.
916 Il couvient que je te herré,
car tu m'as fait grant trichery ;
ton fait, il sont tout trompery.
Ha oul danda oul en ravezeie,
920 corfha en euf.

GUILLEMETTE

Dieu vous aÿst !

PATHELIN

Huis oz bez ou dronc nos badou
digaut an tan en hol madou
empedif dich guicebnuan
924 quez queuient ob dre douch aman
men ez cahet hoz bouzelou
eny obet grande canou
maz rehet crux dan hol con
928 so ol oz lerueil grant nacon
aluzen archet epysy
har cals amour ha coureisy.

LE DRAPPIER

Helas ! pour Dieu, entendez y !
932 Il s'en va ! Comment il guerg[o]uille !
Mais que dyable est ce qu'il barbouille ?

GUILLEMETTE

C'est ce que vous pensiez ?

LE DRAPIER

Oui, par saint Jacques !
Mais je découvre le contraire.

PATHELIN

912 Sont-ils un âne que j'entendrai braire ?
Il se tourne vers le drapier.
Halas, halas ! mon cousin,
oui, ils le seront en grand émoi
le jour quand je ne te verrai pas.
916 Il faut que je te haïrai,
car tu m'as fait une grande traîtrise ;
ce que tu fais, ce n'est que tromperie.
Ha oul danda oul en ravezeie,
920 corfha en euf.

GUILLEMETTE

Dieu vous aide !

PATHELIN

Huis oz bez ou dronc nos badou
digaut an tan en hol madou
empedif dich guicebnuan
924 quez quevient ob dre douch aman
men ez cahet hoz bouzelou
eny obet grande canou
maz rehet crux dan hol con
928 so ol oz lerueil grant nacon
aluzen archet epysy
har cals amour ha coureisy.

LE DRAPIER

Hélas ! parbleu, écoutez ça !
932 Il s'en va ! Comme il gargouille !
Mais diable qu'est-ce qu'il bredouille ?

Saincte Dame[1], comme il barbote !
Par le corps Dieu, il barbelote
936 ses motz tant qu'on n'y en[t]ent rien !
Il ne parle pas crestïen
ne nul langaige qui apere.

GUILLEMETTE

Ce fut la mere de son pere,
940 qui fut attraicte de Bretaigne.
Il se meurt : cecy nous enseigne
qu'il fault ses derniers sacremens.

PATHELIN

Hé ! par [saint] Gigon, tu te mens !
944 Vualx te deu couille de Lorraine,
Dieu te mette en bote sepmaine !
Tu ne vaulx mie une vielz nat[e].
Va, sanglante bote savat[e],
948 va foutre, va, sanglant paillart !
Tu me refais trop le gaillart.
Par la mort bieu, sa, vien t'en boire
et baille moy stan grain de poire,
952 car vrayement il le mangera
et, par saint George, il bura
a ty. Que veulx tu que je die ?
Dy, viens tu nient de Picardie ?
956 Jaques nient ce sont ebobis.
Et bona dies sit vobis,
magister amantissime,
pater reverendissime.
960 Quomodo brulis ? Que nova ?
Parisius non sunt ova.
Quid petit ille mercator ?
Dicat sibi quod trufator,
964 ille qui in lecto jacet,
vult ei dare, si placet,
de oca ad comedendum.

1. dame *est répété dans l'Imprimé.*

Sainte Dame, comme il marmotte !
Corbleu, il marmonne ses mots
936 si bien qu'on n'y comprend rien !
Il ne parle pas chrétien,
ni aucun langage compréhensible.

GUILLEMETTE

C'est la mère de son père
940 qui était native de Bretagne.
Il se meurt ! Cela nous indique
qu'il lui faut les derniers sacrements.

PATHELIN

Hé ! par saint Gigon, tu mens !
944 Vualx te Deu, couille de Lorraine,
Dieu te mette en bote sepmaine !
Tu ne vaulx mie une vielz nate.
Va, sanglante bote savate,
948 va foutre, va, sanglant paillart !
Tu me refais trop le gaillart.
Par la mort bieu, sa, vien t'en boire
et baille-moy stan grain de poire,
952 car vrayement il le mangera
et, par saint George, il bura
à ty. Que veulx-tu que je die ?
Dy, viens-tu nient de Picardie ?
956 Jaques nient se sont ebobis.
Et bona dies sit vobis,
magister amantissime,
pater reverendissime.
960 Quomodo brulis ? Que nova ?
Parisius non sunt ova.
Quid petit ille mercator ?
Dicat sibi quod trufator,
964 ille qui in lecto jacet,
vult ei dare, si placet,
de oca ad comedendum.

Si sit bona ad edendum,
968 pete sibi sine mora.

GUILLEMETTE

Par mon serment, il se mourra
tout parlant. Comment il escume !
Vëez vous pas comme il estime
972 haultement la divinité ?
El s'en va, son humanité :
or demourray je povre et lasse.

LE DRAPPIER

Il fust bon que je m'en alasse
976 avant qu'il eust passé le pas.

Je doubte qu'il ne voulsist pas
vous dire, a son trespassement,
devant moy, si priveëment,
980 aucuns secretz, par aventure.
Pardonnez moy, car je vous jure
que je cuidoye, par ceste ame,
qu'il eust eu mon drap. Adieu, dame ;
984 pour Dieu, qu'il me soit pardonné !

GUILLEMETTE

Le benoist jour vous soit donné,
si soit a la povre dolente !

LE DRAPPIER

Par saincte Marie la gente,
988 je me tiens plus esbaubely
qu'oncques. Le dyable, en lieu de ly,
a prins mon drap pour moy tenter.
Benedicite, atenter
992 ne puist il ja a ma personne !
Et puisqu'ainsi va, je le donne,
pour Dieu, a quiconques l'a prins.

Si sit bona ad edendum,
968 pete sibi sine mora.

GUILLEMETTE

Mon Dieu, il va mourir
tout en parlant. Comme il écume !
Ne voyez-vous pas comme il révère
972 avec force la divinité ?
Elle s'en va, sa vie humaine,
et moi, je resterai pauvre et malheureuse.

LE DRAPIER, *en aparté.*

Il serait bon que je m'en aille
976 avant qu'il n'ait passé le pas.

à Guillemette.

Je crains qu'il ne veuille pas
vous dire, au moment de mourir,
devant moi, en confidence,
980 certains secrets, s'il se trouve.
Pardonnez-moi, car je vous jure
que je croyais, par mon âme,
qu'il avait eu mon drap. Adieu, Madame ;
984 par Dieu, qu'on me le pardonne !

GUILLEMETTE

Que le jour de gloire vous soit donné,
ainsi qu'à moi, la pauvre malheureuse !

Le drapier s'en va seul.

LE DRAPIER

Par la gracieuse sainte Marie,
988 je me tiens pour plus ébaubi
que jamais. C'est le diable qui, à sa place,
a pris mon drap pour me tenter.
Benedicite ! puisse-t-il
992 ne jamais s'en prendre à mes jours !
Et puisque c'est ainsi, je le donne,
parbleu, à qui l'a pris, quel qu'il soit.

PATHELIN

Avant! Vous ay je bien aprins?
996 Or s'en va il, le beau Guillaume.
Dieux! qu'il a dessoubz son hëaum[e]
de menues conclusïons!
Moult luy viendra d'avisïons
1000 par nuyt, quant il sera couché.

GUILLEMETTE

Comment il a esté mouché!
N'ay je pas bien fait mon devoir?

PATHELIN

Par le corps bieu, a dire veoir,
1004 vous y avez tres bien ouvré.
Au moins avons nous recouvré
assés drap pour faire des robbes.

LE DRAPPIER

Quoy? Dea, chascun me paist de lobes,
1008 chascun m'enporte mon avoir
et prent ce qu'il en peult avoir.
Or suis je le roy des meschans :
mes[me]ment les bergiers des champs
1012 me cabusent. Ores le mien,
a qui j'ay tousjours fait du bien,
il ne m'a pas pour bien gabbé :
il en viendra au pié l'abbé,
1016 par la benoiste couronnee!

THIBAULT AIGNELET, BERGIER

Dieu vous doint benoiste journee
et bon vespre, mon seigneur doulx!

PATHELIN

Debout ! Vous ai-je fait une belle démonstration ?
996 Il s'en va donc, le beau Guillaume !
Mon Dieu ! sous son bonnet, il a plein
de minuscules conclusions.
Il lui en viendra bien des visions,
1000 la nuit, quand il sera couché.

GUILLEMETTE

Comme il a été mouché !
N'ai-je pas bien joué mon rôle ?

PATHELIN

Corbleu, à dire le vrai,
1004 vous vous êtes très bien débrouillée.
En tout cas, nous avons récupéré
assez de drap pour faire des robes.

SCÈNE VI

LE DRAPIER, THIBAUD L'AGNELET

LE DRAPIER

Quoi ? Diable, chacun m'abreuve de tromperies,
1008 chacun m'emporte mes biens
et prend ce qu'il peut attraper.
Me voici le roi des pauvres types :
même les bergers des champs
1012 me roulent. Maintenant, le mien,
à qui j'ai toujours fait du bien,
il ne s'est pas moqué de moi impunément :
je le traînerai en justice,
1016 par la Vierge couronnée !

THIBAUD L'AGNELET, BERGER

Que Dieu vous donne une bonne journée
et une bonne soirée, mon doux seigneur !

LE DRAPPIER

Ha ! es tu la, truant merdoulx
1020 Quel bon varlet ! Mais a quoy faire ?

LE BERGIER

Mais qu'il ne vous vueille desplaire,
ne sçay quel vestu de roié,
mon bon seigneur, tout deroié,
1024 qui tenoit ung fouet sans corde,
m'a dit... mais je ne me recorde
point bien au vray que ce peult estre.
Il m'a parlé de vous, mon maistre,
1028 je ne sçay quelle adjournerie...
Quant a moy, par saincte Marie,
je n'y entens ne gros ne gresle.
Il m'a broullé de pelle mesle
1032 de brebis a... de relevee,
et m'a fait une grant levee
de vous, mon maistre, de boucler.

LE DRAPPIER

Se je ne te sçay emboucler
1036 tout maintenant devant le juge,
je prie a Dieu que le deluge
coure sur moy, et la tempeste !
Jamais tu n'assomeras beste,
1040 par ma foy, qu'il ne t'en souviengne.
Tu me rendras, quoy qu'il adviengne,
six aulnes... dis je, l'essomage
de mes bestes et le dommage
1044 que tu m'as fait depuis dix ans.

LE BERGIER

Ne croiez pas les mesdisans,
mon bon seigneur, car, par ceste ame...

LE DRAPPIER

Et, par la Dame que l'en clame,

LE DRAPIER

Ah ! te voilà, truand de merde !
1020 Quel bon valet ! Mais pourquoi faire ?

LE BERGER

Sans vouloir vous offenser,
je ne sais qui, en drap rayé,
mon bon seigneur, tout énervé,
1024 qui tenait un fouet sans corde,
m'a dit... mais je ne me rappelle
pas bien, de vrai, de quoi il peut s'agir.
Il m'a parlé de vous, mon maître,
1028 pour je ne sais quel ajournement...
Quant à moi, par sainte Marie,
je n'y comprends que dalle.
Il m'a embrouillé dans un méli-mélo
1032 de brebis et d'après-midi,
et il a fait contre moi, de votre part,
mon maître, une grande levée de boucliers.

LE DRAPIER

Si je n'arrive pas à te traîner
1036 sur-le-champ devant le juge,
je prie Dieu que le déluge
tombe sur moi, avec la tempête !
Jamais tu n'assommeras de bête,
1040 par ma foi, sans qu'il t'en souvienne.
Tu me payeras, quoi qu'il advienne,
six aunes... je veux dire l'abattage
de mes bêtes et le dommage
1044 que tu m'as causé depuis dix ans.

LE BERGER

Ne croyez pas les mauvaises langues,
mon bon seigneur, car, je vous le jure...

LE DRAPIER

Eh bien ! par la Dame qu'on implore,

1048 tu les rendras au samedi,
mes six aulnes de drap... je dy
ce que tu as prins sur mes bestes.

LE BERGIER

Quel drap ? Ha ! mon seigneur, vous estes,
1052 ce croy je, cour(rous)sé d'aultre chose.
Par saint Leu, mon maistre, je n'ose
riens dire quant je vous regarde !

LE DRAPPIER

Laisse m'en paix, va t'en et garde
1056 t'ajournee, se bon te semble.

LE BERGIER

Mon seigneur, acordons ensemble,
pour Dieu, que je ne plaide point !

LE DRAPPIER

Va, ta besongne est en bon point.
1060 Va t'en, je n'en acorderay,
par Dieu, ne n'en appointeray
qu'ainsi que le juge fera.
Avoy ! chascun me trompera
1064 mesouen se je n'y pourvoye !

LE BERGIER

A Dieu, sire, qu'i vous doint joye !

Il fault donc que je me defende.

(LE BERGIER)

A il ame la ?

1048 tu les payeras samedi,
mes six aunes de drap... je veux dire
ce que tu as pris sur mes bêtes.

LE BERGER

Quel drap ? Ah ! mon seigneur, vous êtes,
1052 je crois, en colère pour autre chose.
Par saint Loup, mon maître, je n'ose
rien dire quand je vous regarde !

LE DRAPIER

Fiche-moi la paix, va-t'en et retiens
1056 ton assignation, si bon te semble.

LE BERGER

Mon seigneur, arrangeons-nous ensemble,
pour Dieu, pour que je n'aie pas à plaider !

LE DRAPIER

Va, ton affaire se présente bien.
1060 Va-t'en, je ne ferai aucun accord,
parbleu, ni aucun arrangement
autre que le juge en décidera.
Non mais ! chacun me trompera
1064 désormais, si je n'y mets bon ordre !

LE BERGER

Adieu, sire, qu'Il vous donne la joie !

Seul.

Il faut donc que je me défende.

SCÈNE VII

PATHELIN, GUILLEMETTE, LE BERGER

Le berger frappe à la porte de Pathelin.

Y a-t-il quelqu'un ?

PATHELIN

On me pende,
1068 s'il ne revient, parmy la gorge !

GUILLEMETTE

Et non fait, que, bon gré saint George,
ce seroit bien au pis venir.

LE BERGIER

Dieu y soit ! Dieu puist advenir !

PATHELIN

1072 Dieu te gard, compains ! Que te fault ?

LE BERGIER

On me piquera en default
se je ne vois a m'ajournee,
mon seigneur, a... de relevee
1076 et, s'il vous plaist, vous i(l) vendrez,
mon doulx maistre, et me deffendrez
ma cause, car je n'y sçay rien,
et je vous payëray tres bien,
1080 pourtant se je suis mal vestu.

PATHELIN

Or vien ça et parles. Qu'es tu,
ou demandeur ou deffendeur ?

LE BERGIER

J'ay a faire a ung entendeur,
1084 entendez vous bien, mon doulx maistre,
a qui j'ay long temps mené paistre
ses brebis et les [y] gardoye.
Par mon serment, je regardoye
1088 qu'il me paioit petitement...
Diray je tout ?

PATHELIN, *à voix basse*

Qu'on me pende
1068 par la gorge, si ce n'est pas lui qui revient !

GUILLEMETTE, *à voix basse*

Non, ce n'est pas lui, par le grand saint Georges,
ce serait un comble !

LE BERGER

Que Dieu soit présent parmi vous !

PATHELIN

1072 Dieu te garde, camarade ! Que te faut-il ?

LE BERGER

On me pincera par défaut
si je ne réponds à l'assignation,
mon seigneur, à je ne sais quelle heure...
1076 S'il vous plaît, vous y viendrez,
mon doux maître, et vous défendrez
ma cause, car je n'y connais rien,
et je vous payerai très bien,
1080 bien que je sois mal vêtu.

PATHELIN

Avance donc et parle. Qu'es-tu,
demandeur ou défendeur ?

LE BERGER

J'ai affaire à un malin,
1084 comprenez-vous bien, mon doux maître,
quelqu'un à qui j'ai longtemps mené paître
ses brebis, et je les lui gardais.
Ma foi, je me rendais compte
1088 qu'il me payait chichement...
Faut-il tout dire ?

PATHELIN

Dea ! seurement :
a son conseil doit on tout dire.

LE BERGIER

Il est vray et verité, sire,
1092 que je les y ay assommees,
tant que plusieurs se sont pasmees
maintes fois et sont cheues mortes,
tant fussent els saines et fortes ;
1096 et puis je luy faisoye entendre,
affin qu'il ne m'en peust reprendre,
qu'ilz mouroyent de la clavelee.
« Ha ! fait il, ne soit plus meslee
1100 avec les autres ; gette la.
— Voulentiers », fais je ; mais cela
se faisoit par une aultre voye,
car, par saint Jehan, je les mangoye,
1104 qui savoye bien la maladie.
Que voulez vous que je vous die ?
J'ay cecy tant continué,
j'en ay assommé et tué
1108 tant qu'il s'en est bien apperceu.
Et quant il c'est trouvé deceu,
m'aist Dieux, il m'a fait espïer,
car on les oyt bien hault crïer,
1112 entendez vous, quant on le fait.
Or ay je esté prins sur le fait,
je ne le puis jamais nyer ;
si vous vouldroye bien prier
1116 — pour du mien, j'ay assés finance —
que nous deux luy baillons l'avance.
Je sçay bien qu'il ha bonne cause,
mais vous trouverez bien clause,
1120 se voulez, qu'i l'aura mauvaise.

PATHELIN

Par ta foy, seras tu bien aise !
Que donras tu se je renverse

PATHELIN

Dame ! sûrement :
à son conseil on doit tout dire.

LE BERGER

Il est bel et bien vrai, sire,
1092 que je les lui ai assommées,
à tel point que beaucoup se sont pâmées
plus d'une fois et sont tombées raides mortes,
si saines et fortes qu'elles fussent ;
1096 et puis je lui faisais croire,
afin qu'il ne pût rien me reprocher,
qu'elles mouraient de la clavelée.
« Ah ! faisait-il, ne la laisse pas
1100 avec les autres ; jette-la.
— Volontiers », répondais-je ; mais cela
se passait d'une autre manière,
car, par saint Jean, je les mangeais,
1104 connaissant bien leur maladie.
Que voulez-vous que je vous dise ?
J'ai tant continué mon manège,
j'en ai assommé et tué
1108 tant qu'il s'en est bien aperçu.
Et quand il a découvert la ruse,
grand Dieu, il m'a fait épier,
car on les entend crier bien fort,
1112 vous me comprenez, quand on le fait.
J'ai donc été pris sur le fait,
impossible de le nier.
Aussi je voudrais bien vous prier
1116 (pour ma part, j'ai assez d'argent)
qu'à nous deux nous le prenions de court.
Je sais bien que sa cause est bonne,
mais vous trouverez bien un argument,
1120 si vous le voulez, qui la rendra mauvaise.

PATHELIN

Si je t'en crois, tu en seras bien aise !
Que me donneras-tu si je ruine

le droit de ta partie adverse,
1124 et se l'en t'en envoye assoubz ?

LE BERGIER

Je ne vous payeray point en solz,
mais en bel or a la couronne.

PATHELIN

Donc auras tu ta cause bonne,
1128 et fust elle la moitié pire :
tant mieulx vault et plus tost l'empire
quant je veulx mon sens applicquer.
Que tu me orras bien desclicquer
1132 quant il aura fait sa demande !
Or vien ça, et je te demande...
Par le saint sang bieu precïeux,
tu es assés malicïeux
1136 pour entendre bien la cautelle...
Comment esse que l'en t'appelle ?

LE BERGIER

Par saint Mor, Thibault l'Aignelet.

PATHELIN

L'Aignelet, maint aigneau de let
1140 luy as cabassé a ton maistre !

LE BERGIER

Par mon serment, il peult bien estre
que j'en ay mangié plus de trente
en trois ans.

PATHELIN

Ce sont dix de rente
1144 pour tes dez et pour ta chandelle !
Je croy que luy bailleray belle.
Penses tu qu'il puisse trouver

le bon droit de la partie adverse,
1124 et si l'on te renvoie absous ?

LE BERGER

Je vous payerai non point en sous,
mais en beaux écus d'or à la couronne.

PATHELIN

Par conséquent, ta cause sera bonne,
1128 même si elle était deux fois pire :
mieux elle vaut, plus vite je l'affaiblis,
quand je veux m'en donner la peine.
Comme tu entendras mon cliquetis,
1132 dès qu'il aura déposé sa plainte !
Avance donc, que je te demande...
Par le précieux saint sang de Dieu,
tu es assez malicieux
1136 pour bien comprendre la manœuvre...
Comment est-ce qu'on t'appelle ?

LE BERGER

Par saint Maur, Thibaud l'Agnelet.

PATHELIN

L'Agnelet, maint agneau de lait
1140 tu lui as chapardé à ton maître !

LE BERGER

Par ma foi, il se peut bien
que j'en aie mangé plus de trente
en trois ans.

PATHELIN

C'est une rente de dix par an,
1144 pour payer tes dés et ta chandelle !
Je crois que je la lui baillerai belle.
Penses-tu qu'il puisse trouver

sur piez ses fais par qui prouver?
1148 C'est le chef de la plaiderie.

LE BERGIER

Prouver, sire? Saincte Marie,
par tous les sainctz de paradis,
pour ung il en trouvera dix
1152 qui contre moy desposeront!

PATHELIN

C'est ung cas qui [tres] fort desront
ton fait... Vecy que je pensoye :

je ne faindray point que je soye
1156 des tiens ne que je te veisse oncques.

LE BERGIER

Ne ferez, Dieux!

PATHELIN

Non, rien quelconques.
Mais vecy qu'il esconviendra.
Se tu parles, on te prendra
1160 coup a coup aux posicïons,
et en telz cas confessïons
sont si tresprejudicïables
et nuysent tant que ce sont dyables.
1164 Pour ce, vecy qu'i y fera :
ja tost quant on t'appellera
pour comparoir en jugement,
tu ne respondras nullement
1168 fors « bee », pour rien que l'en te die.
Et s'il avient qu'on te mauldie
en disant : « Hé! cornard puant,
Dieu vous met[te] en mal an! Truant,
1172 vous mocquez vous de la justice? »,
dy : « Bee ». — « Ha! feray je, il est nice;

sur-le-champ des gens pour prouver les faits ?
1148 C'est le point capital de l'affaire.

LE BERGER

Pour les prouver, sire ? Sainte Marie,
par tous les saints du Paradis,
ce n'est pas un, c'est dix qu'il en trouvera
1152 pour déposer contre moi !

PATHELIN

C'est un point qui met en pièces
ta cause... Mais voici à quoi je pensais :

Pathelin réfléchit.

je ne montrerai pas que je suis
1156 avec toi ou que je t'ai jamais vu.

LE BERGER

Vous ne le montrerez pas, par Dieu !

PATHELIN

Non, en aucune manière.
Mais voici ce qu'il faudra faire.
Si tu parles, on te coincera
1160 à chaque coup dans tes positions,
et dans de tels cas les aveux
sont très préjudiciables
et causent un tort du diable.
1164 C'est pourquoi voici ce qu'il y aura à faire :
dès l'instant qu'on t'appellera
à comparaître en jugement,
tu ne répondras rien d'autre
1168 que « bée ! », quoi qu'on te dise.
Et s'il arrive qu'on te maudisse
en disant : « Hé ! infect connard,
que Dieu vous accable de misère ! Canaille,
1172 vous moquez-vous de la justice ? »,
dis : « Bée ! » — « Ah ! dirai-je, il est simplet,

il cuide parler a ses bestes ».
Mais s'ilz devoyent rompre leurs testes,
1176 que aultre mot n'ysse de ta bouche :
garde t'en bien !

LE BERGIER

Le fait me touche.
Je m'en garderay vrayëment
et le feray bien proprement,
1180 je le vous prometz et afferme.

PATHELIN

Or t'y garde, tiens te bien ferme.
A moy mesme, pour quelque chose
que je te die ne propose,
1184 si ne [me] respondz aultrement.

LE BERGIER

Moy ? Nenny, par mon sacrement !
Dittes hardiement que j'afolle
se je dy huy aultre parolle
1188 a vous n'a quelque aultre personne,
pour quelque mot que l'en me sonne,
fors « bee » que vous m'avez aprins.

PATHELIN

Par saint Jehan, ainsi sera prins
1192 ton adversaire par la moe.
Mais aussi fais que je me loue,
quant ce sera fait, de ta paye.

LE BERGIER

Mon seigneur, se je ne vous paye
1196 a vostre mot, ne me croiez
jamais ; mais, je vous prie, voiez
diligamment a ma besongne.

il croit parler à ses bêtes ».
Mais, même s'ils devaient se briser la tête,
1176 ne laisse rien sortir d'autre de ta bouche.
Fais-y bien attention !

LE BERGER

C'est mon intérêt.
J'y ferai vraiment attention,
et je me conduirai comme il faut,
1176 je vous en donne ma parole.

PATHELIN

Fais bien attention, sois inébranlable.
Même à moi, quoi que je puisse
te dire ou te proposer,
ne me réponds pas autrement.

LE BERGER

Moi ? Que non pas, je vous le jure !
Dites bien fort que je suis fou
si je dis aujourd'hui autre chose
1188 à vous ou à quelqu'un d'autre,
quelque mot qu'on fasse sonner à mes oreilles,
sauf « bée », que vous m'avez appris.

PATHELIN

Par saint Jean, ainsi attrapera-t-on
1192 ton adversaire par nos grimaces.
Mais de ton côté fais que je me loue,
l'affaire finie, de tes honoraires.

LE BERGER

Mon seigneur, si je ne vous paie pas
1196 à votre prix, ne me faites jamais
crédit, mais, je vous en prie, pensez
sans traîner à mon affaire.

PATHELIN

Par Nostre Dame de Boulongne,
1200 je tien que le juge est assis,
car il se siet tousjours a six
heures, ou illec environ.
Or vien aprés moy ; nous n'iron
1204 nous deux ensemble pas en voye.

LE BERGIER

C'est bien dit, affin qu'on ne voye
que vous soyez mon advocat.

PATHELIN

Nostre Dame, moquin, moquat,
1208 se tu ne payes largement.

LE BERGIER

Dieux, a vostre mot, vrayëment,
mon seigneur, et n'en faictes doubte.

PATHELIN

Hé dea ! s'il ne pleut, il degoute :
1212 au moins auray je ung epinoche ;
j'auray de luy, s'il chet en coche,
ung escu ou deux pour ma paine.

Sire, Dieu vous doint bonne estraine
1216 et ce que vostre cueur desire !

PATHELIN

Par Notre-Dame de Boulogne,
1200 je pense que le juge est en séance,
car il vient toujours siéger à six
heures, ou à peu près.
Suis-moi donc à distance; nous ne ferons pas
1204 ensemble le trajet.

LE BERGER

Bien dit : on ne verra pas ainsi
que vous êtes mon avocat.

PATHELIN

Notre-Dame, gare à tes côtes,
1208 si tu ne paies pas largement.

LE BERGER

Dieu, à votre prix, oui, vraiment,
mon seigneur, soyez-en sûr.

Le berger s'en va.

PATHELIN

Que diable! s'il ne pleut pas, il tombe des gouttes :
1212 j'en tirerai au moins une bricole;
j'aurai de lui, si le coup marche,
un écu ou deux pour ma peine.

SCÈNE VIII

PATHELIN, LE JUGE, LE DRAPIER, LE BERGER

Pathelin salue le juge.

Sire, que Dieu vous donne bonne étrenne
1216 et tout ce que votre cœur désire!

LE JUGE

Vous soyez le bien venu, sire.
Or vous couvrez ; sa, prenez place.

PATHELIN

Dea, je suis bien, sauf vostre grace :

1220 je suis ycy plus a delivre.

LE JUGE

S'il y a riens, qu'on se delivre
tantost, affin que [je] me lieve !

LE DRAPPIER

Mon advocat vient, qui acheve
1224 ung peu de chose qu'il faisoit,
mon seigneur, et, s'i vous plaisoit,
vous ferïez bien de l'atendre.

LE JUGE

Hé dea ! j'ay ailleurs a entendre !
1228 Se vostre partie est presente,
delivrez vous sans plus d'atente.
Et n'estes vous pas demandeur ?

LE DRAPPIER

Si suis.

LE JUGE

Ou est le deffendeur ?
1232 Est il cy present en personne ?

LE DRAPPIER

Ouÿ, veez le la qui ne sonne
mot, mais Dieu scet ce qu'il en pense.

LE JUGE

Soyez le bienvenu, sire.
Couvrez-vous donc et prenez place.

PATHELIN

Là, ça va, si vous le permettez :

Pathelin reste à l'écart.

1220 je suis ici mieux à mon aise.

LE JUGE

S'il y a une affaire, qu'on l'expédie
vite, afin que je lève la séance !

LE DRAPIER

Mon avocat arrive, il achève
1224 une petite chose qu'il faisait,
mon seigneur, et, si c'était votre bon plaisir,
vous feriez bien de l'attendre.

LE JUGE

Que diable, j'ai affaire ailleurs !
1228 Si la partie adverse est présente,
expliquez-vous sans plus attendre.
N'êtes-vous pas le demandeur ?

LE DRAPIER

Si, c'est moi.

LE JUGE

Où est le défendeur ?
1232 Est-il ici présent en personne ?

LE DRAPIER

Voyez-le là-bas qui ne dit
mot, mais Dieu sait ce qu'il en pense !

LE JUGE

Puisque vous estes en presence
1236 vous deux, faictes vostre demande.

LE DRAPPIER

Vecy doncques que luy demande.
Mon seigneur, il est verité
que pour Dieu et en charité
1240 je l'ay nourry en son enfance,
et, quant je vis qu'il eust puissance
d'aler aux champs, pour abregier,
je le fis estre mon bergier
1244 et le mis a garder mes bestes.
Mais, aussi vray comme vous estes
la assis, mon seigneur le juge,
il en a fait ung tel deluge
1248 de brebis et de mes moutons
que sans faultë...

LE JUGE

Or escoutons :
estoit il point vostre aloué ?

PATHELIN

Voire, car, s'il c'estoit joué
1252 a le tenir sans aiouer...

LE DRAPPIER

Je puisse Dieu desavouer[1]

se ce n'estes vous, [vous] sans faulte !

LE JUGE

Comment vous tenez la main haulte !
1256 Av' ous mal aux dens, maistre Pierre ?

1. desvoyer *dans l'Imprimé.*

LE JUGE

Puisque vous êtes présents
1236 tous les deux, présentez votre plainte.

LE DRAPIER

Voici donc ce dont je me plains.
Mon seigneur, la vérité est
que, pour plaire à Dieu et par charité,
1240 je l'ai élevé en son enfance,
et, quand je le vis assez grand
pour aller aux champs, en un mot,
je fis de lui mon berger
1244 et le mis à garder mes bêtes.
Mais, aussi vrai que vous êtes
là, assis, mon seigneur le juge,
il a fait une telle hécatombe
1248 de mes brebis et de mes moutons
que sans faute...

LE JUGE

Mais voyons :
était-il bien votre salarié ?

PATHELIN

Si, vraiment, car, s'il s'était amusé
1252 à le garder sans le payer...

LE DRAPIER

Puissé-je renier Dieu
Le drapier se tourne vers Pathelin qu'il reconnaît.
si ce n'est vous, oui, vous sans erreur !

LE JUGE

Pathelin lève la main pour se cacher le visage.
Comme vous tenez la main haute !
1256 Avez-vous mal aux dents, maître Pierre ?

PATHELIN

Ouÿ, elles me font tel guerre
qu'oncques mais ne senty tel raige :
je n'ose lever le visaige.
1260 Pour Dieu, faictes le proceder.

LE JUGE

Avant, achevez de plaider.
Sus, concluez appertement.

LE DRAPPIER

C'est il, sans aultre, vrayëment,
1264 par la croix ou Dieu s'estendit !
C'est a vous a qui je vendi
six aulnes de drap, maistre Pierre.

LE JUGE

Qu'esse qu'il dit de drap ?

PATHELIN

Il erre :
1268 il cuide a son propos venir
et il n'y scet plus advenir
pour ce qu'il ne l'a pas aprins.

LE DRAPPIER

Pendu soye s'aultre l'a prins,
1272 mon drap, par la sanglante gorge !

PATHELIN

Comment le meschant homme forge
de loing pour fournir son libelle !
Il veult dire (est il bien rebelle !)
1276 que son bergier avoit vendu
la laine — je l'ay entendu —
dont fut fait le drap de ma robe,

PATHELIN

Oui, elles me font une telle guerre
que jamais je n'ai souffert une telle rage :
je n'ose lever la tête.
1260 Par Dieu, faites-le continuer.

LE JUGE

Allons, achevez de plaider.
Vite, concluez en termes clairs.

LE DRAPIER

C'est lui, et personne d'autre, oui, vraiment,
1264 par la croix où Dieu fut étendu !
C'est à vous que j'ai vendu
six aunes de drap, maître Pierre.

LE JUGE

Qu'est-ce qu'il raconte avec son drap ?

PATHELIN

Il divague :
1268 il croit en venir à son sujet
et ne sait plus y parvenir,
faute de l'avoir appris.

LE DRAPIER

Que je sois pendu si un autre l'a pris,
1272 mon drap, sacrédié !

PATHELIN

Comme le malheureux va chercher
loin pour bâtir sa requête !
Il veut dire (quel maladroit !)
1276 que son berger avait vendu
la laine — c'est ce que j'ai compris —
dont fut fait le drap de ma robe,

comme s'il dist qu'il le desrobe
1280 et qu'il luy a emblé les laines
de ses brebis.

LE DRAPPIER

Male sepmaine
m'envoye Dieu se vous ne l'avez!

LE JUGE

Paix! (De) par le dyable, vous bavez[1]!
1284 Et ne sçavez vous revenir
a vostre propos sans tenir
la court de telle baverie?

PATHELIN

Je sans mal et fault que je rie!
1288 Il est desja si empressé
qu'il ne sçait ou il a laissé :
il fault que nous luy reboutons.

LE JUGE

Sus, revenons a ses moutons;
1292 qu'en fust il?

LE DRAPPIER

Il [en] print six aulnes
de neuf francs.

LE JUGE

Sommes nous becjaunes
ou cornards? Ou cuidez vous estre?

PATHELIN

Par le sang bieu, il vous fait paistre!
1296 Qu'est il bon homme par sa mine!

1. lavez *dans l'Imprimé.*

autant dire qu'il le vole
1280 et qu'il lui a dérobé la laine
de ses brebis.

LE DRAPIER

Que Dieu m'envoie
une semaine de malheurs, si vous ne l'avez !

LE JUGE

Silence ! Par le diable, quel bavardage !
1284 Ne pouvez-vous pas revenir
à votre sujet, sans infliger
à la cour un tel bavardage ?

PATHELIN

J'ai mal et il faut que je rie !
1288 Il est déjà si empêtré
qu'il ne sait où il en est resté :
il faut que nous l'y ramenions.

LE JUGE

Allons, revenons à nos moutons.
1292 Qu'en advint-il ?

LE DRAPIER

Il en prit six aunes
pour neuf francs.

LE JUGE

Sommes-nous des naïfs
ou des imbéciles ? Où croyez-vous être ?

PATHELIN

Palsambleu, il vous mène en bateau !
1296 Ah ! il a la mine d'un brave homme !

Mais je loe[1] qu'on examine
ung bien peu sa partie adverse.

LE JUGE

Vous dittes bien.

Il le converse :
1300 il ne peut qu'il ne le congnoisse.

Vien ça, dy !

LE BERGIER

Bee !

LE JUGE

Vecy angoisse !
Quel « bee » esse cy ? Suis je chievre ?
Parle a moy.

LE BERGIER

Bee !

LE JUGE

Sanglante fievre
1304 te doint Dieu ! Et te mocques tu ?

PATHELIN

Croiez qu'il est fol ou testu,
ou qu'il cuide estre entre ses bestes.

LE DRAPPIER

Or regnie je bieu se vous n'estes
1308 celluy, sans aultre, qui l'avez
eu, mon drap ! Ha ! vous ne sçavez,

mon seigneur, par quelle malice...

1. los *dans l'Imprimé.*

Mais je conseille qu'on interroge
un petit peu la partie adverse.

LE JUGE

Vous avez raison.

en aparté.

Il le fréquente :
1300 il ne peut pas ne pas le connaître.

Il s'adresse au berger.

Avance, dis !

LE BERGER

Bée !

LE JUGE

C'est le comble !
Qu'est-ce que ce « bée » ? Suis-je une chèvre ?
Réponds-moi !

LE BERGER

Bée !

LE JUGE

Que Dieu te donne
1304 une fièvre du diable ! Te moques-tu ?

PATHELIN

Croyez qu'il est fou ou entêté,
ou qu'il s'imagine parmi ses bêtes.

LE DRAPIER, *à Pathelin*

Oui, je renie Dieu si vous n'êtes pas
1308 celui-là même qui l'avez
eu, mon drap ! Ah ! vous ne savez pas,

au juge.

mon seigneur, par quelle malice...

LE JUGE

Et taisiez vous ! Estes vous nice ?
1312 Laissez en paix ceste assessoire
et venons au principal.

LE DRAPPIER

Voire,
mon seigneur, mais le cas me touche.
Toutesfois, par ma foy, ma bouche
1316 meshuy ung seul mot n'en dira.
Une aultre fois il en ira
ainsi qu'il en pourra aler :
il le me couvient avaler
1320 sans mascher. Or[es] je disoye,
a mon propos, comment j'avoye
baillé six aulnes... Doy je dire,
mes brebis... Je vous en prie, sire,
1324 pardonnez moy : ce gentil maistre...
Mon bergier, quant il devoit estre
au[x] champs... Il me dist que j'auroye
six escus d'or quand je vendroye...
1328 Dis je, depuis trois ans en ça,
mon bergier m'en couvenança [1]
que loyaulment me garderoit
mes brebis et ne m'y feroit
1332 ne dommaige ne villennie
et puis... Maintenant il me nye
et drap et argent plainement.
Ha ! maistre Pierre, vrayëment...
1336 Ce ribault cy m'embloit les laines
de mes bestes, et toutes saines
les faisoit mourir et perir
par les assommer et ferir
1340 de gros bastons sur la cervelle...
Quant mon drap fust soubz son esselle,
il se mist au chemin grant erre
et me dist que je alasse querre
1344 six escus d'or en sa maison.

1. commenca *dans l'Imprimé.*

LE JUGE

Taisez-vous donc ! Êtes-vous simplet ?
1312 Laissez tomber ce détail
et venons-en à l'essentiel.

LE DRAPIER

Oui,
mon seigneur, mais l'affaire me touche.
Toutefois, je le jure, ma bouche,
1316 de la journée, n'en soufflera mot.
Une autre fois, il en ira
comme il pourra :
il faut que j'avale
1320 la pilule. Je disais donc,
dans ma requête, comment j'avais
donné six aunes... je veux dire,
mes brebis... Je vous en prie, sire,
1324 pardonnez-moi : ce gentil maître...
Mon berger, quand il devait être
aux champs... Il me dit que j'aurais
six écus d'or quand je viendrais...
1328 Je veux dire que, depuis trois ans,
mon berger prit l'engagement
de me garder loyalement
mes brebis sans me faire
1332 ni dommage ni mauvais tour
et puis... Maintenant il me nie
tout net et le drap et l'argent.
Ah ! maître Pierre, en vérité...
1336 Ce truand-ci me volait la laine
de mes bêtes ; et, bien que saines,
il les faisait mourir et périr
en les assommant, en les frappant
1340 avec de gros bâtons sur le crâne...
Quand mon drap fut sous son bras,
il se mit en route rapidement
et me dit de venir chercher
1344 six écus d'or chez lui.

LE JUGE

Il n'y a ne rime ne rayson
en tout quancque vous rafardez.
Qu'esse cy ? Vous entrelardez
1348 puis d'ung, puis d'aultre. Somme toute,
par le sang bieu, je n'y vois goute :
il brouille de drap et babille
puis de brebis, au coup la quille !
1352 Chose qu'il die ne s'entretient.

PATHELIN

Or je m'en fais fort qu'il retient
au povre bergier son salaire.

LE DRAPPIER

Par Dieu, vous en peussiez bien taire !
1356 Mon drap, aussi vray que la messe...
Je sçay mieulx ou le bas[t] m'en blesse
que vous ne ung aultre ne sçavez.
Par la teste Dieu, vous l'avez !

LE JUGE

1360 Qu'esse qu'il a ?

LE DRAPPIER

Rien, mon seigneur.
Par mon serment, c'est le grigneur
trompeur... Hola ! je m'en tairay,
se je puis, et n'en parleray
1364 meshuy, pour chose qu'il adviengne.

LE JUGE

Et non, mais qu'il vous en souviengne !
Or concluez appertement.

PATHELIN

Ce bergier ne peult nullement
1368 respondre au[x] fais que l'en propose

LE JUGE

Il n'y a ni rime ni raison
dans tout ce que vous rabâchez.
Qu'est-ce que c'est ? Vous entremêlez
1348 et l'un et l'autre. En fin de compte,
palsambleu, je n'y vois goutte :
il marmonne de drap et puis jacasse
de brebis, un coup par-ci, un coup par-là !
1352 Rien de ce qu'il dit ne se suit.

PATHELIN

Quant à moi, je suis sûr qu'il retient
au pauvre berger son salaire.

LE DRAPIER

Parbleu, vous feriez mieux de vous taire !
1356 Mon drap, aussi vrai que la messe...
Je sais mieux où le bât me blesse
que vous-même ou qu'un autre.
Tudieu, vous l'avez !

LE JUGE

1360 Qu'est-ce qu'il a ?

LE DRAPIER

Rien, mon seigneur.
Je le jure, c'est le plus grand
trompeur... Holà ! je me tairai
si je peux, et je n'en parlerai plus
1364 de la journée, quoi qu'il arrive.

LE JUGE

C'est bon, mais souvenez-vous-en !
Allez, concluez clairement.

PATHELIN

Ce berger ne peut nullement
1368 répondre aux faits qu'on lui objecte

s'il n'a du conseil, et il n'ose
ou il ne scet en demander.
S'i vous plaisoit moy commander
1372 que je fusse a luy, je y seroye.

LE JUGE

Avecques luy ? Je cuideroye
que ce fust trestoute froidure :
c'est Peu d'aquest.

PATHELIN

Moy je vous jure
1376 qu'aussi n'en vueil [je] riens avoir :
pour Dieu soit ! Or je vois savoir
au povret qu'il me vouldra dire
et s'il me sçaura point instruire
1380 pour respondre aux faitz de partie.
Il auroit dure [de]partie
de cecy, qui ne le secourroit.
Vien ça, mon amy. Qui pourroit
1384 trouver... Entens ?

LE BERGIER

Bee !

PATHELIN

Quel « bee » ? Dea,
par le saint sang que Dieu rea,
es tu fol ? Dy moy ton affaire.

LE BERGIER

Bee !

PATHELIN

Quel « bee » ? Oys tu brebis braire ?
1388 C'est pour ton proffit, entendz y.

sans un conseiller, et il n'ose
ou ne sait en demander.
S'il vous plaisait de me commander
1372 de l'assister, je le ferais.

LE JUGE

L'assister, lui ? A mon avis,
ce serait une piètre affaire :
c'est Jean-sans-le-sou.

PATHELIN

Moi, je vous jure
1376 qu'aussi bien je ne veux rien tirer de lui :
que ce soit *gratis pro Deo !* Je vais apprendre
du pauvret ce qu'il voudra me dire
et s'il saura me renseigner
1380 pour répondre aux accusations.
Il aurait du mal à s'en sortir,
si l'on ne venait à son secours.
Avance, mon ami. Si on pouvait
1384 trouver... Tu comprends ?

LE BERGER

Bée !

PATHELIN

Quoi, bée ? Diable,
par le saint sang que Dieu versa,
es-tu fou ? Dis-moi ton affaire.

LE BERGER

Bée !

PATHELIN

Quoi bée ? Entends-tu bêler tes brebis ?
1388 C'est pour ton bien, comprends-le.

LE BERGIER

Bee !

PATHELIN

Et dy ouÿ ou nenny.

C'est bien fait. Dy tousjours ! Feras ?

LE BERGIER

Bee !

PATHELIN

Plus hault ! ou (tu) t'en trouveras
1392 en grans despens, et je m'en doubte.

LE BERGIER

Bee !

PATHELIN

Or est il plus fol qui boute
tel fol naturel en procés.
Ha ! sire, (r)envoyés l'en a ses
1396 brebis : il est fol de nature.

LE DRAPPIER

Est il fol ? Saint Sauve[u]r d'Esture,
il est plus saige que vous n'estes.

PATHELIN

Envoyez le garder ses bestes,
1400 sans jour, que jamais ne retourne.
Que mauldit soit il qui ajourne
telz folz ne ne fait ajourner !

LE BERGER

Bée !

PATHELIN,

Réponds par oui ou par non.

A voix basse.

Très bien ! Continue !

A voix haute.

Parle donc.

LE BERGER

Bée !

PATHELIN

Plus fort ! ou tu vas
1392 le payer cher, je le crains fort.

LE BERGER

Bée !

PATHELIN

Il faut être encore plus fou pour intenter
un procès à un fou aussi authentique.
Ah ! sire, renvoyez-le à ses
1396 brebis : il est fou de naissance.

LE DRAPIER

Lui, fou ? Saint Sauveur des Asturies,
il est plus sage que vous n'êtes.

PATHELIN

Envoyez-le garder ses bêtes,
1400 *sine die*, sans qu'il revienne jamais.
Maudit soit celui qui assigne
de tels fous, ou les fait assigner !

LE DRAPPIER

Et l'en fera l'en retourner
1404 avant que je puisse estre ouÿ ?

LE JUGE

M'aist Dieu ! puisqu'il est fol, ouÿ.
Pourquoy ne fera ?

LE DRAPPIER

Hé ! dea, sire,
au mains laissez moy avant dire
1408 et faire mes conclusïons :
se ne sont pas abusïons
que je vous dy, ne mocqueries.

LE JUGE

Ce sont toutes tribouileries.
1412 que de plaider a folz ne a folles.
Escoutez : a mains de parolles,
la court ne sera plus tenue.

LE DRAPPIER

S'en iront ilz sans retenue
1416 de plus revenir ?

LE JUGE

Et quoy doncques ?

PATHELIN

Revenir ? Vous ne veistes oncques

plus fol : n'en faictes neant response.

Et si(l) ne vault pas mieulx une once
1420 l'aultre : tous deux sont (folz) sans cervelle.
Par saincte Marie la belle,
eulx deux n'en ont pas ung quarat !

LE DRAPIER

Le fera-t-on s'en retourner
1404 avant que je puisse être entendu ?

LE JUGE

Grand Dieu ! puisqu'il est fou, oui.
Pourquoi pas ?

LE DRAPIER

Hé ! diable, sire,
au moins laissez-moi avant dire
1408 et présenter mes conclusions :
ce ne sont pas des mensonges
que je vous dis, ni des galéjades.

LE JUGE

Il n'y a que tracasseries
1412 à plaider contre des fous et des folles.
Écoutez : pour le dire en deux mots,
la cour ne siégera plus.

LE DRAPIER

S'en iront-ils sans obligation
1416 de revenir ?

LE JUGE

Et quoi donc ?

PATHELIN

Revenir ? Vous n'avez jamais vu

Pathelin s'adresse au juge.

plus fou : ne lui répondez pas.

Il montre le drapier.

Et l'autre ne vaut pas une once
1420 de plus : tous deux sont malades du cerveau.
Par la belle sainte Marie,
à eux deux ils n'en ont pas un carat !

LE DRAPPIER

Vous l'emportastes par barat,
1424 mon drap, sans payer, maistre Pierre.
Par la char bieu, moy, las p[ech]ierre,
ce ne fut pas fait de preudomme !

PATHELIN

Or (je) regni(e) saint Pierre de Romme
1428 s'il n'est fin fol, ou il afolle !

LE DRAPPIER

Je vous congnois a la parolle
et a la robe et au visaige.
Je ne suis pas fol, je suis saige
1432 pour congnoistre qui(l) bien me fait.

Je vous compteray tout le fait,
mon seigneur, par ma conscïence.

PATHELIN

Hee, sire, imposez leur silence !
1436 N'av'ous honte de tant debatre
a ce bergier pour trois ou quatre
vieilz brebïailles ou moutons
qui ne vallent pas deux boutons ?
1440 Il en fait plus grant kyrïelle...

LE DRAPPIER

Quelz moutons ? C'est une vïelle !
C'est a vous mesme que je parle
et vous me le rendrez par lë
1444 Dieu qui voult a Noel estre né !

LE JUGE

Veez vous ? Suis je bien assené !
Il ne cessera huy de braire.

LE DRAPIER

Vous l'avez emporté par ruse,
1424 mon drap, sans payer, maître Pierre.
Parbleu, pauvre pécheur que je suis,
ce n'était pas agir en honnête homme.

PATHELIN

Oui, je renie saint Pierre de Rome
1428 s'il n'est fin fou ou s'il ne le devient !

LE DRAPIER, *s'adressant à Pathelin*

Je vous reconnais à la parole
et à la robe et au visage.
Je ne suis pas fou, mais avisé
1432 pour reconnaître qui me fait du bien.
Il s'adresse au juge.
Je vous raconterai toute l'histoire,
mon seigneur, en mon âme et conscience.

PATHELIN

Hé ! sire, imposez-leur silence !
1436 N'avez-vous pas honte de tant discuter
avec ce berger pour trois ou quatre
vieilles saletés de brebis ou de moutons
qui ne valent pas un clou ?
1440 Il en fait une kyrielle plus longue...

LE DRAPIER

Quels moutons ? c'est une vraie rengaine !
C'est à vous-même que je parle,
et vous me le rendrez par le
1444 Dieu qui voulut naître à Noël !

LE JUGE

Vous voyez ? Me voici bien loti !
Il ne cessera aujourd'hui de brailler.

LE DRAPPIER

Je luy demand(e)...

PATHELIN

Faites le taire !
1448 Et, par Dieu, c'est trop flageollé !
Prenons qu'il [en] ait affolé
six ou sept, ou une douzaine,
et mangéz, en sanglante estraine :
1452 vous en estes bien meshaigné !
Vous avez plus que tant gaigné
au temps qu'il les vous a gardéz.

LE DRAPPIER

Regardez, sire, regardez,
1456 je luy parle de drapperie,
et il respond de bergerie !
Six aulnes de drap, ou sont elles,
que vous mistez soubz vous esselles ?
1460 Pensez vous point de les me rendre ?

PATHELIN

Ha ! sire, le ferez vous pendre
pour six ou sept bestes a laine ?
Au mains, reprenez vostre alaine,
1464 ne soyez pas si rigoreux
au povre bergier douloreulx
qui est aussi nu comme ung ver.

LE DRAPPIER

C'est tres bien retourné le ver !
1468 Le dyable me fist bien vendeur
de drap a ung tel entendeur !
Dea, mon seigneur, je luy demande...

LE JUGE

Je l'assoulz de vostre demande
1472 et vous deffendz le proceder.

LE DRAPIER

Je lui demande...

PATHELIN

Faites-le taire !
1448 Hé ! Parbleu, en voilà des histoires !
Admettons qu'il en ait tué
six ou sept, ou une douzaine,
et qu'il les ait mangés, quelle affaire !
1452 Vous en êtes bien diminué !
Vous en avez gagné bien plus
pendant le temps qu'il vous les a gardés.

LE DRAPIER

Regardez, sire, regardez :
1456 je lui parle de drap,
et il répond par des moutons !
Ces six aunes de drap, où sont-elles,
celles que vous avez mises sous vos bras ?
1460 N'avez-vous pas l'intention de me les rendre ?

PATHELIN

Ah ! sire, le ferez-vous pendre
pour six ou sept bêtes à laine ?
Au moins, reprenez votre souffle,
1464 ne soyez pas si rigoureux
pour le pauvre malheureux berger
qui est nu comme un ver.

LE DRAPIER

Manière habile de changer de sujet !
1468 C'est le diable qui m'a fait vendre
du drap à un tel filou !
Dame, mon seigneur, je lui demande...

LE JUGE

Je l'absous de votre plainte
1472 et vous défends de poursuivre.

C'est ung bel honneur de plaider
a ung fol !

Va t'en a tes bestes.

LE BERGIER

Bee !

LE JUGE

Vous monstrez bien qui vous estes,
1476 sire, par le sang Nostre Dame !

LE DRAPPIER

Hé ! dea, mon seigneur, bon gré m'ame,
je luy vueil...

PATHELIN

S'en pourroit il taire ?

LE DRAPPIER

Et c'est a vous que j'ay a faire :
1480 vous m'avez trompé faulsement
et emporté furtivement
mon drap par vostre beau langaige.

PATHELIN

Ho ! j'en appelle en mon couraige !
1484 Et vous l'ouez bien, mon seigneur !

LE DRAPPIER

M'aist Dieu, vous estes le grigneur
trompeur !

Mon seigneur, que je die...

LE JUGE

C'est une droicte cornardie
1488 que de vous deux : ce n'est que noise.

La belle gloire, de plaider
contre un fou !

Il s'adresse au berger.

Retourne à tes bêtes.

LE BERGER

Bée !

LE JUGE, *s'adressant au drapier*

Vous montrez bien ce que vous êtes,
1476 sire, par le sang de Notre-Dame !

LE DRAPIER

Hé ! diable, mon seigneur, par mon âme,
je veux lui...

PATHELIN

Ne finira-t-il pas par se taire ?

LE DRAPIER

Mais c'est à vous que j'ai affaire :
1480 vous m'avez trompé par trahison,
vous avez furtivement emporté
mon drap grâce à votre beau langage.

PATHELIN

Ho ! j'en appelle à ma conscience !
1484 Et vous, écoutez-le bien, mon seigneur !

LE DRAPIER

Par Dieu, vous êtes le plus grand
trompeur !

au juge.

Mon seigneur, que je vous dise...

LE JUGE

C'est une vraie farce que vous jouez
1488 tous les deux : quel tapage !

M'aist Dieu, je los que je m'en voise.
Va t'en, mon amy ; ne retourne
jamais pour sergent qui t'ajourne.
1492 La court t'asoult, entens tu bien ?

PATHELIN

Dy grans merci.

LE BERGIER

Bee !

LE JUGE

Dis je bien :
va t'en, ne te chault, autant vaille.

LE DRAPPIER

[Mais] esse rayson qu'il s'en aille
1496 ainsi ?

LE JUGE

Ay ! j'ay a faire ailleurs.
Vous estes par trop grans railleurs :
vous ne m'y ferez plus tenir,
je m'en vois. Voulez vous venir
1500 souper avec moy, maistre Pierre ?

PATHELIN

Je ne puis.

Par Dieu, je suis d'avis de m'en aller.
Va-t'en, mon ami ; ne reviens
jamais même si un sergent t'assigne.
1492 La cour t'absout, le comprends-tu ?

PATHELIN

Dis grand merci !

LE BERGER

Bée !

LE JUGE

Je dis bien :
va-t'en, ne te fais plus aucun souci.

LE DRAPIER

Mais est-il normal qu'il s'en aille
1496 ainsi ?

LE JUGE

Oh ! j'ai à faire ailleurs.
Vous vous moquez un peu trop du monde :
vous ne me ferez plus siéger ici,
je m'en vais. Voulez-vous venir
1500 souper avec moi, maître Pierre ?

PATHELIN

Je ne puis.

LE DRAPPIER

Ha ! qu'es tu fort lierre !
Dictes, seray je point payé ?

PATHELIN

De quoy ? Estes vous desvoyé ?
1504 Mais qui cuidés vous que je soye ?
Par le sang de moy, je pensoye
pour qui c'est que vous me prenés.

LE DRAPPIER

Bee dea !

PATHELIN

Beau sire, or vous tenés.
1508 Je vous diray, sans plus attendre,
pour qui [c'est que] (vous) me cuidés prendre :
est ce point pour Esservelé ?
Voy, nennin : il n'est point pelé

1512 comme je suis dessus la teste.

LE DRAPPIER

Me voulés vous tenir pour beste ?
C'estes vous en propre personne,
vous de vous : vostre voix le sonne,
1516 et ne le croiés aultrement.

PATHELIN

Moy de moy ? Non suis vraiëment ;
ostés en vostre opinion.

SCÈNE IX

LE DRAPIER, PATHELIN, LE BERGER

LE DRAPIER

Ah ! sacrée canaille !
Dites, est-ce que je serai payé ?

PATHELIN

De quoi ? Êtes-vous dérangé ?
1504 Mais qui croyez-vous que je sois ?
Par mon propre sang, je me demandais
pour qui donc vous me prenez.

LE DRAPIER

Eh bien !

PATHELIN

Cher monsieur, écoutez donc !
1508 Je vous dirai, sans plus attendre,
pour qui donc vous croyez me prendre :
n'est-ce pas pour l'Écervelé ?
Regarde ! Nenni, il n'est pas chauve

Pathelin lève son chaperon.

1512 comme moi, au-dessus de la tête.

LE DRAPIER

Voulez-vous me prendre pour un idiot ?
C'est vous en chair et en os,
c'est bien vous : votre voix le proclame,
1516 et n'imaginez pas autre chose.

PATHELIN

C'est bien moi ? Non, absolument pas ;
renoncez à cette idée.

Seroit ce point Jehan de Noyon?
1520 Il me resemble de corsage.

LE DRAPPIER

Hé! deablë, il n'a pas visaige
ainsi potatif ne si fade!
Ne vous laissé je pas malade
1524 orains dedens vostre maison?

PATHELIN

Ha! que vecy bonne raison!
Maladë! Et quel maladie?
Confessés vostre cornadie :
1528 maintenant est elle bien clere!

LE DRAPPIER

C'estes vous, ou regnie saint Pierre,
vous sans aultre, je le sçay bien
pour tout vray!

PATHELIN

[Or n'en croyez rien,]
1532 car certes ce ne suis je mie.
De vous oncq aulne ne demie
ne prins : je n'é pas le los tel.

LE DRAPPIER

Ha! je vois veoir en vostre hostel,
1536 par le sang bieu, se vous y estes!
Nous n'en debatrons plus nos testes
ycy, se je vous treuve la.

PATHELIN

Par Nostre Dame, c'est cela!
1540 Par ce point le sçaurez vous bien.
Dy, Aignelet.

Serait-ce par hasard Jean de Noyon ?
1520 Il me ressemble de carrure.

LE DRAPIER

Hé ! diable, il n'a pas la figure
si avinée ni si blême !
Ne vous ai-je pas laissé malade
1524 tout à l'heure dans votre maison ?

PATHELIN

Ah ! que voici un bon argument !
Malade ! Et de quelle maladie ?
Avouez votre sottise :
1528 maintenant elle est évidente !

LE DRAPIER

C'est vous, ou je renie saint Pierre,
vous et pas un autre, je le sais bien,
c'est la stricte vérité !

PATHELIN

N'en croyez rien,
1532 car ce n'est certainement pas moi.
De vous je n'ai jamais pris une aune
ni une demi-aune : je n'ai pas cette réputation.

LE DRAPIER

Ah ! je vais voir chez vous,
1536 palsambleu, si vous y êtes.
Nous ne nous casserons plus la tête
ici, si je vous trouve là-bas.

PATHELIN

Par Notre-Dame, c'est cela !
1540 De cette manière vous en aurez le cœur net
Dis, Agnelet.

LE BERGIER

Bee !

PATHELIN

Vien ça, vien.
Ta besongne est elle bien faicte ?

LE BERGIER

Bee !

PATHELIN

Ta partie [s'] est retraicte :
1544 ne dy plus « bee », il n'y a force.
Luy ay je baille(e) belle estorse ?
T'ay je point conseillé a point ?

LE BERGIER

Bee !

PATHELIN

Hé ! dea, on ne te orra point !
1548 Parle hardiement, ne te chaille[1].

LE BERGIER

Bee !

PATHELIN

Il est temps que je m'en aille,
paye moy.

1. chailee *dans l'Imprimé.*

SCÈNE X

PATHELIN, LE BERGER

LE BERGER

Bée !

PATHELIN

Approche, viens.
Ton affaire est-elle bien réglée ?

LE BERGER

Bée !

PATHELIN

La partie adverse s'est retirée :
1544 ne dis plus « bée ! », ce n'est pas la peine.
L'ai-je bien entortillé ?
T'ai-je conseillé comme il faut ?

LE BERGER

Bée !

PATHELIN

Hé ! diable, on ne t'entendra pas !
1548 Parle hardiment, n'aie pas peur.

LE BERGER

Bée !

PATHELIN

Il est temps que je m'en aille.
Paie-moi.

LE BERGIER

Bee !

PATHELIN

A dire veoir,
tu as tres bien fait ton debvoir
1552 et aussi bonne contenance.
Ce qui(l) luy a baillé l'avance,
c'est que tu t'es tenu de rire.

LE BERGIER

Bee !

PATHELIN

Quel « bee » ? (Il) ne le fault plus dire.
1556 Paye moy bien et doulcement.

LE BERGIER

Bee !

PATHELIN

Quel « bee » ? Parle saigement [1]
et me paye ; si m'en yray.

LE BERGIER

Bee !

PATHELIN

Sez tu quoy ? je te diray
1560 (Je te pry, sans plus m'abaier)
que tu penses de moy payer ;
je ne vueil plus de ta baierie.
Paye tost.

1. doulcement *dans l'Imprimé.*

LE BERGER

Bée !

PATHELIN

A dire vrai,
tu as très bien joué ton rôle,
1552 tu as fait bonne figure.
Ce qui lui a donné le change,
c'est que tu t'es retenu de rire.

LE BERGER

Bée !

PATHELIN

Quoi « bée ! » ? Il ne faut plus le dire.
1556 Paie-moi bien et gentiment.

LE BERGER

Bée !

PATHELIN

Quoi « bée ! » ? Parle raisonnablement
et paie-moi ; alors je m'en irai.

LE BERGER

Bée !

PATHELIN

Sais-tu quoi ? Je te dirai
1560 (écoute-moi et cesse de brailler)
de songer à me payer.
Je ne veux plus de tes bêlements.
Paie en vitesse !

LE BERGIER

Bee !

PATHELIN

Esse mocquerie ?
1564 Esse quant [que] tu en feras ?
Par mon serment, tu me paieras,
entens tu, se tu ne t'envoles.
Sa, argent !

LE BERGIER

Bee !

PATHELIN

Tu te rigolles !
1568 Comment ? N'en auray je aultre chose ?

LE BERGIER

Bee !

PATHELIN

Tu fais le rimeur en prose.
Et a qui vends tu tes coquilles ?
Scez tu qu'il est ? Ne me babilles
1572 meshuy de ton « bee », et me paye.

LE BERGIER

Bee !

PATHELIN

N'en auray je aultre monnoye ?
A qui te cuides tu jouer ?
Je me devoie tant louer
1576 de toy ! Or fais que je m'en loe.

LE BERGER

Bée !

PATHELIN

Est-ce que tu te moques de moi ?
1564 Est-ce tout ce que tu feras ?
Je te le jure, tu me paieras,
tu entends, à moins que tu ne t'envoles.
Par ici, l'argent !

LE BERGER

Bée !

PATHELIN

Tu plaisantes !
1568 Comment ? N'en aurai-je rien d'autre ?

LE BERGER

Bée !

PATHELIN

Tu dis des sottises.
A qui donc vends-tu tes salades ?
Sais-tu ce qu'il en est ? Ne me serine plus
1572 aujourd'hui ton « bée ! » et paie-moi.

LE BERGER

Bée !

PATHELIN

N'en aurai-je pas d'autre monnaie ?
De qui crois-tu te moquer ?
Je devais tant me louer
1576 de toi ! Eh bien ! fais que je m'en loue.

LE BERGIER

Bee !

PATHELIN

Me fais tu mengier de l'oe ?
Maugré bieu, ay je tant vescu
que ung bergier, ung mouton vestu,
1580 ung villain paillart me rigolle ?

LE BERGIER

Bee !

PATHELIN

N'en auray je aultre parolle ?
Se tu le fais pour toy esbatre,
dy le, ne m'en fays plus debatre.
1584 Vien t'en souper a ma maison.

LE BERGIER

Bee !

PATHELIN

Par saint Jehan, tu as raison :
les oisons mainnent les oes paistre.
Or cuidoye estre sur tous maistre,
1588 de trompeurs d'icy et d'ailleurs,
des fort coureux et des bailleurs
de parolles en payement
a rendre au jour du jugement,
1592 et ung bergier des champs me passe !
Par saint Jaques, se je trouvasse
ung (bon) sergent, je te fisse prendre !

LE BERGIER

Bee !

LE BERGER

Bée !

PATHELIN

Me fais-tu manger de l'oie ?
Dieu me maudisse ! Ai-je tant vécu
pour qu'un berger, un mouton en habit,
1580 un sale gueux me rie au nez ?

LE BERGER

Bée !

PATHELIN

N'en tirerai-je pas d'autre mot ?
Si tu le fais pour t'amuser,
dis-le, et ne me fais plus discuter.
1584 Viens-t'en souper à la maison.

LE BERGER

Bée !

PATHELIN

Par saint Jean, tu as raison :
les oisons mènent paître les oies.
Je me prenais pour le maître de tous
1588 les trompeurs d'ici et d'ailleurs,
des vagabonds et des donneurs
de bonnes paroles à payer
au jour du Jugement dernier,
1592 et un berger des champs me surpasse !
Par saint Jacques, si je trouvais
un sergent, je te ferais prendre !

LE BERGER

Bée !

PATHELIN

Heu, « bee » ! L'en me puisse pendre
1596 se je ne vois faire venir
ung bon sergent ! Mesadvenir
luy puisse il s'il ne t'emprisonne !

LE BERGIER

S'il me treuve, je luy pardonne.

EXPLICIT

PATHELIN

Ah ! oui, bée ! Que l'on puisse me pendre
1596 si je ne vais pas appeler
un bon sergent ! Et qu'il lui arrive
malheur s'il ne t'emprisonne !

LE BERGER

S'il me trouve, je lui pardonne.

FIN

NOTES

Titre. Comment définir la farce[1]? C'est un genre dramatique essentiellement comique, qui comporte peu d'acteurs, de 2 à 6, en général 3 ou 4. Le texte en est court, d'une moyenne de 350 vers : *Pathelin,* avec ses 1 599 vers, est une remarquable exception. Les personnages pris souvent dans la réalité quotidienne, peuvent aussi provenir de sources narratives : récits oraux, *exempla,* contes, fabliaux, *Facetiae* du Pogge... L'action frappe par sa simplicité, comme l'a écrit André Tissier[2] : « Au lieu d'une structure charpentée, nous n'avons qu'une succession de mouvements : une sorte d'entrée où un personnage se définit en fonction d'une situation donnée ; puis plusieurs éléments interviennent : on va, on vient ; il se passe ceci ou cela ; et quand on a épuisé les différentes données de la situation, le personnage principal prend congé du public. » Mais certaines farces ont été très élaborées, comme la Farce du *Cuvier,* ou celles du *Gentilhomme, Lison, Naudet et la Demoiselle,* ou du *Poulier à six personnages,* ou du *Pourpoint rétréci...* Beaucoup consistent en un bon tour ou une friponnerie que déjoue une action inverse. La nécessité de faire rire le public est l'élément premier du genre, qui conditionne ses autres caractéristiques comme la caricature et l'exploitation de tous les procédés du comique, et aussi l'introduction de cette bouffonnerie, de cet épisode badin dans un spectacle sérieux. Selon B. Rey-Flaud, « pièce dramatique courte, essentiellement comique, et exploitant tous les moyens à sa disposition pour faire rire le public, elle frappe par sa simplicité et sa verdeur[3] ».

Pour l'origine du mot, consulter Louis Petit de Julleville, *La Comédie et les mœurs en France au Moyen Age,* p. 51, Omer Jodogne, *La Farce et les plus anciennes farces françaises* dans les *Mélanges*

1. Voir, sur ce point, A. Tissier, *La Farce en France de 1450 à 1550,* Paris, SEDES-CDU, t. I, 1976, pp. 19-21, et B. Rey-Flaud, *La Farce ou la machine à rire,* Genève, Droz, 1984, pp. 25 et sq.
2. *Op. cit.,* p. 22.
3. *Op. cit.,* p. 32.

R. Lebègue, pp. 12-13 et Bernadette Rey-Flaud, *La Farce ou la machine à rire*, pp. 25 et sq.

3-4. On remarquera la richesse des jeux phoniques : *cabasser-ramasser-amasser. Cabasser* signifie « dérober »; cf. Antoine de la Sale, *Jehan de Saintré*, éd. Misrahi-Knudson, p. 57, lignes 30-32. Forme normande selon H. Lewicka, *Études sur l'ancienne farce française*, p. 90, c'est une expression à tonalité argotique ou euphémique pour éviter des mots trop crus comme *voler, embler;* voir, pour d'autres exemples, Holbrook, *Etudes sur Pathelin*, pp. 32-33. Le mot a disparu des mss. Bigot *(a brouillier ne a baracher)* et La Vallière *(A brouillier ne haraser). Amasser* a le sens d' « attraper ».

5. L'auteur joue tout au long de cette scène sur les mots de la famille d'*avocat. Avocasser* signifiait, sans sens péjoratif, « suivre la profession d'avocat ».

6-7. D'autres interprétations ont été avancées : « Par Notre Dame j'y pensais — car on en jase même au barreau » ; O. Jodogne propose : « Par Notre-Dame, j'y pensais — celle qu'on chante — j'y pensais à votre charge d'avocat ». Sans doute l'auteur a-t-il joué avec les possibilités linguistiques qu'offrait la dislocation de la phrase, comme aux vers 1067-1068, 1271-1272. Voir E. Philipot, *Remarques et conjectures sur le texte de Maître Pierre Pathelin.*

7. *advocassaige :* signifie « art de plaider », « fonction, charge d'avocat », « défense présentée par un avocat ». La Vierge pouvait passer pour la patronne des avocats dans la mesure où on la présentait souvent plaidant auprès de son fils la cause des pécheurs. Voir Rutebeuf, *Le Miracle de Théophile.*

9. *des quatre pars :* des quatre cinquièmes. Cf. Holbrook, *op. cit.*, p. 68.

13. *advocat dessoubz l'orme :* c'est un avocat de campagne, un avorton d'avocat; c'est une injure : « avocat de village ». Dans *La Farce de Colin fils de Thévot*, lorsque Thévot invite la vieille femme à venir « comparoir soubz l'orme », la connotation est la même : il s'agit de juge et d'avocat de pacotille, qui n'en sont pas vraiment et dont tout le monde se moque. La locution qui est à opposer à avocat de juridiction officielle, authentique, désigne un avocat d'occasion, ignare et non reconnu officiellement. Voir Loyseau, *De l'abus des justices de village*, p. 4, col. 2 : les juristes et les humanistes comparent les juges pédanées du droit romain aux « juges de village qui ne relèvent point du roy et qui ne ressortissent aux justices royales »; ce « sont vrais juges pedanées, aussi les appelons-nous juges sous l'orme, *nec habebant justum tribunal* ». Ils jugeaient souvent en plein air (A. Giffard, *Les Justices seigneuriales en Bretagne*, 1909, p. 79 n. 1 et 104 n. 1) « tantôt au pied d'un arbre, tantôt au coin d'un fossé, quelquefois dans un désert » (p. 104 n. 2). Ces deux références sont extraites d'une note au ch. XVI du *Quart Livre* « ... attendue l'enorme concussion que voyons huy entre ces juges pedanées soubs l'orme » *(Œuvres de François Rabelais*, édition

Abel Lefranc, t. VI, p. 199). L'expression se rencontre aussi avec la même connotation dans *Le Parangon de Nouvelles*, 35e nouvelle, où il est dit d'un curé ignorant : « Mais toutesfoys au dimenche par maintes parolles sainctes le mieulx que il povoit, preschoit et amonestoit ses parroissiens soubz l'orme, tant que il estoit tenu de tous ses parroissiens ung grant theologien » (Edition Gabriel Pérouse, p. 127). Voir aussi G. Coquillart, dans l'*Enquête d'entre la simple et la rusée faicte par Cocquillart* (éd. M. J. Freeman), qui parle de Maistre Mathieu de Hoche Prune :

> Patron des enfans dissolus,
> Notaire en parchemin double
> Et grand advocat dessoubz l'orme (vers 858-860).

En 1611, Cotgrave donnait cette définition : « Un advocat dessous l'orme. *An obscure Lawyer : a pratling, or pidling Pettifogger.* »

Dans chaque cas, il s'agit de se moquer d'un personnage qui, dans son village, veut jouer un rôle pour lequel il n'a aucune disposition, seulement des prétentions. Dans ce contexte (cf. au v. 17, le *maire*), Pathelin apparaît comme n'étant pas réellement avocat, et comme réellement ignorant. Il s'en prend plus loin aux véritables avocats. La seule chose qu'il ait de commun avec eux, c'est d'avoir la même réputation de trompeur (v. 56 ss.).

14. *Encor* a ici un sens adversatif. Voir Ph. Ménard, *Syntaxe de l'ancien français*, p. 272.

17. *le maire*. Cf. P. Lemercier, *art. cit.*, p. 214 : « Le juge seigneurial, appelé en général " maire " ou " prevost ", tenait les plaids à jour et à heures fixes... Il avait au civil une compétence très large. Conformément aux prescriptions des ordonnances royales, il devait présenter quelques garanties de connaissances techniques. » Voir Tanon, *Histoire des justices des anciennes églises et communautés monastiques de Paris*, 1883. Mais, selon Michel Rousse, le savoir du maire est sans doute un sujet traditionnel de plaisanterie si l'on en croit la farce de *Colin fils de Thévot le maire*, où Thévot ne réussit pas à lire le sauf-conduit du pèlerin que son fils a pris pour un Turc et fait prisonnier sans hésiter. On l'y voit d'ailleurs dans l'exercice de ses fonctions de juge au début de la farce : une vieille femme vient se plaindre qu'on lui a volé une poule, un coq et deux fromages...

18. La rime *maire-grimaire (grimoire)* est normande ; elle montre que *oi* était prononcé *è ;* voir vers 292-293, 341-342. Cf. H. Lewicka, *op. cit.*, p. 88.

Il y a de surcroît une confusion comique entre la *grammaire*, discipline fondamentale, un des sept arts, et le *grimoire*, livre de sorcellerie.

20. *despesche* rime avec *piece*, tout comme dans le *Mystère de la Passion* de Gréban, *s'afiche* rime avec *edifice* (vers 6589-6590). C'est une rime imparfaite comme il y en a beaucoup au XVe siècle. Voir Henri Chatelain, *Recherches sur le vers français au XVe siècle*, et

O. Jodogne, *Notes sur Pathelin*, p. 436. *Despeschier* signifie « accomplir rapidement ».

22-27. Pathelin prétend avoir eu une formation d'enfant de chœur dont J. Delumeau a rappelé qu'elle a aidé à l'alphabétisation des petits garçons (*La Civilisation de la Renaissance*, p. 407).

22. *apprendre a lettre :* Holbrook interprète « étudier le latin » (*Étude*, p. 66). En fait, l'expression signifie « apprendre à lire », car on apprenait à lire dans les livres latins. Pathelin sait donc à peine lire. Selon Michel Rousse, l'erreur, qui est faite souvent, est de prendre Pathelin pour un avocat, si médiocre soit-il. On ne peut suivre Holbrook qui déduit de son interprétation de « à lettre » et du délire en latin que « Pathelin n'ignore pas le latin » et que « d'ailleurs, en sa qualité d'avocat, il n'aurait pu l'ignorer tout à fait » (p. 66). Le délire en divers langages ne peut servir de preuve ; il s'agit d'un effet de théâtre où la nécessité du jeu l'emporte sur une éventuelle incohérence du personnage. En fait, si l'on veut absolument trouver du vraisemblable dans le comportement du personnage dans cette scène, on peut avancer qu'il n'a pas plus besoin d'instruction ni de savoir lire pour apprendre quelques bribes de latin de taverne d'étudiants que pour apprendre le normand ou le breton ou le jargon franco-anglais. Mais je ne crois pas qu'il faille chercher une cohérence quelconque dans ce que pourrait laisser présupposer la scène des divers langages.

27. Le vers rappelle les deux premiers vers de la *Chanson de Roland :*

Carles li reis, nostre emperere magnes,
Set anz tuz pleins ad estet en Espaigne.

28. *Pas empeigne*. L'empeigne est la pièce de cuir qui, dans un soulier, s'étend du coup-de-pied à la pointe ; le mot avait fini par désigner une quantité tout à fait négligeable et servait à renforcer la négation.

30. *robbes*. Selon M. Beaulieu et J. Baylé, *Le Costume en Bourgogne de Philippe le Hardi à Charles le Téméraire*, Paris, PUF, 1956, p. 50 : « A la fin du XIVe siècle, on désigne parfois par l'expression " robe de garnemens " ou " habit " un ensemble de plusieurs pièces taillées dans un même drap ; au XVe siècle, le mot *robe* n'évoque plus qu'un seul vêtement. Celui-ci peut dissimuler entièrement les jambes, s'arrêter aux genoux ou couvrir à peine le haut des cuisses. » Voir aussi Fr. Piponnier, *Costume et vie sociale, La Cour d'Anjou XIVe-XVe siècles*, Paris-La Haye, Mouton, 1970, p. 397 et J. Dufournet, trad. du *Vair Palefroi*, p. 41.

L'*estamine* était une étoffe légère qui servait à filtrer les liqueurs (voir Villon, *Testament*, vers 1453-1454), ou un tissu pour faire des modèles (cf. Piponnier, *op. cit.*, p. 388). Leurs vêtements sont donc usés jusqu'à la trame.

37. *chapperons*. Selon Gay, *Glossaire archéologique...*, « sa forme primitive a l'aspect conique d'une chausse à filtrer. C'est alors une

coiffure posée perpendiculairement sur le haut du corps, couvrant les épaules dans la partie évasée, encadrant le visage dans une ouverture dite visagière, pratiquée vers le sommet, et dont la pointe retombe par-derrière ou sur le côté... Au XIVe siècle, on le dispose en manière de turban... La complication de cet ajustement fut simplifiée par l'adoption, au XVe siècle, d'un bourrelet de jonc recouvert d'étoffe sur lequel on attacha... la patte large et la pointe ou cornette ». Voir aussi M. Beaulieu, *op. cit.*, pp. 68-69 et F. Piponnier, *op. cit.*, p. 383.

40. *En peu d'eure Dieu labeure*. Il s'agit d'un proverbe recensé par J. Morawski, n° 679.

42. *praticque :* « action de pratiquer un métier ». Voir Jean Michel, *Le Mystère de la Passion,* vers 4299-4301, dans la bouche de saint Matthieu :

> J'abandonne change et boutique,
> or, argent, profit et pratique ;
> jamais ne m'en vueil entremettre...

44. *saint Jaques*. Il y avait beaucoup de faux pèlerins de Saint-Jacques-de-Compostelle, qui vendaient de fausses coquilles.

45. *ung fin droit maistre*. On remarquera les deux intensifs du nom *maistre*, *fin* et *droit*. « Fin *adj*. peut rendre une foule de nuances qui varient avec le substantif qu'il qualifie et qu'il élève à sa plus haute puissance » (L. Foulet, *Glossaire...*, p. 116). Un *chevalier trop fin* est un chevalier accompli ; une *fine angoisse* est une angoisse aiguë ; la *fin'amors,* par rapport à l'amour et à la courtoisie, est la religion de l'amour (Voir M. Lazar, *Amour courtois et fin'amors*). Au vers 29 de notre pièce, la *fine famine* est une famine atroce.

48. Voir la suite des idées et la construction des répliques. Pathelin vient d'affirmer : « On ne pourra trouver mon égal. » Guillemette lui répond : « On ne pourra trouver votre égal... pour tromper. » Pathelin rétorque : « (non pas pour tromper) mais pour plaider honnêtement ». Guillemette revient à la charge : « Non pas, mais plutôt pour tromper. »

50. *clergise*, doublet de *clergie,* « science du clerc ».

52. *l'une des chaudes testes*. O. Jodogne, à la suite de R. T. Holbrook, traduit par « l'un des fins compères » ; d'autres optent pour « meilleures têtes ». L'expression a posé problème, puisque l'édition Levet a remplacé *chaudes* par *saiges*. Dans la *Moralité des Blasphémateurs,* le fils s'écrie :

> Par Dieu, je suis ung chaud valet
> Pour chanter, mais que j'ays gousté.

L'idée d'habileté et de subtilité semble prédominer. Voir E. Philipot, *art. cit.*, et G. Coquillard, *Les Droits nouveaux,* vers 1731. En fait, R. T. Holbrook hésitait entre ce sens et celui de « téméraire », qui est possible et correspondrait à l'image d'un Pathelin *trickster.*

56. *M'aist Dieu.* Voir aussi les vers 93 et 102. Ce tour qui, à l'origine, sous la forme *Si m'aït Diex,* signifiait « aussi vrai que je demande que Dieu m'aide », comportait l'adverse *si,* le verbe *aït* (3e personne du subjonctif présent du verbe *aidier*) et le sujet inversé *Diex.* Devenu formulaire, mal compris, le tour s'est modifié tout en conservant le subjonctif : la conjonction de subordination *se* s'est substituée à l'adverbe *si* et le sujet a été antéposé au verbe : *Se Diex t'aït.* Le tour non seulement a connu toutes sortes de variantes : *se Dex me gart, se Dex m'amant, se Dex me voie, se Dex me saut, se Damedex l'aïst...,* mais aussi s'est simplifié en *m'aït Diex, m'ait Dieu,* et a fini par prendre les formes de *médieu, mes dieux, midieu.* Voir l'art. de L. Foulet dans *Romania,* t. 53, 1927.

58-59. *camelos* et *camocas.* Il s'agit d'étoffes précieuses. La première désigne, dès le XIIIe siècle, « un tissu importé de grande valeur et une imitation locale qui laisserait penser que le camelot d'origine appartenait par son armure à la famille des serges ou des reps » (F. Piponnier). La matière première était à l'origine une « laine » (poil de chèvre mohair ? poil de chameau ?) ; mais le mot semble venir de l'arabe *khamlat* « surface pelucheuse ». Voir F. Piponnier, *op. cit.,* p. 381, M. Beaulieu, *op. cit.,* p. 31, Gay, *op. cit.,* I, pp. 262-265. Voir aussi Coquillard, *Monologue du Puys,* vers 4, et *Monologue de la gouttière,* vers 171. Le *camocas* était une étoffe de soie, se rapprochant du satin.

L'auteur aime à jouer avec les mots que rapprochent les sonorités : *camelos* et *camocas, camocas* et *advocas.*

60. *qu'i sont advocas.* Par suite de la chute de *l* final dans la prononciation populaire (cf. P. Fouché, *Phonétique historique du français,* t. III, p. 664), il y avait confusion entre *i* (y), *il* et *ilz,* entre *qui* et *qu'il(s)* souvent écrit *qui.*

62. *baverie.* Dérivé du verbe *baver,* qui signifiait « bavarder », « parler à tort et à travers », « dire des niaiseries », « se moquer de ». A partir du XVIe siècle, on a distingué *baver* et *bavarder.* Voir P. Guiraud, *Les Structures étymologiques du lexique français,* pp. 81-92. Il faut prononcer *bavrie.*

64. *Par saint Jehan.* Voir aussi vers 342, 363, 1191, 1585. Saint Jean « était bien connu des juristes parisiens : tous les samedis, les maîtres de la Faculté de Décret se réunissaient à la Commanderie de Saint-Jean, en face du cloître Saint-Benoît, rue Saint-Jacques » (R. Lejeune, *Pour quel public...,* p. 489). En fait, ce jurement est le plus fréquent dans les autres pièces : ainsi le trouve-t-on sept fois dans les 388 vers de *La Femme à qui son voisin baille un clystère.* Cf. H. Lewicka, *op. cit.,* p. 95, qui conclut : « Il n'y a, partant, aucune raison d'y voir une allusion au saint patron des juristes parisiens. »

65. Pour Holbrook, il s'agirait d'un air populaire que Pathelin se met à fredonner. En fait, on ne le trouve dans aucun chansonnier. Voir aussi R. Lejeune, *art. cit.,* p. 491. Ici, le mot peut être une allusion à ces femmes qui, sous le couvert d'une honnête profession,

vendaient leurs faveurs, semblables à celles qu'interpelle la Belle qui fut heaumière dans le *Testament* de Villon (vers 533-556).

Selon Michel Rousse, il faudrait opter pour la leçon du manuscrit La Vallière, qui porte *marchant* au lieu de *marchande* dans les deux rimes. *Marchant* (66) est une forme de la première personne du verbe *marchander*, qui a paru archaïque ou dialectale, et du coup a été corrigée en *marchande*, ce qui a entraîné une correction analogue pour le vers précédent (65). De là une traduction : « A la foire, en brave client » (avec les deux sens bien attestés pour *marchant :* acheteur et « drôle de client »).

67. *suffraige*. Rappelons le sens de *suffrage* à l'époque, « prière », et l'utilisation métaphorique de l'expression « menus suffrages », signalée par Huguet et Littré, qui d'ailleurs commente ce vers : « Dans l'exemple de *Pathelin*, suffrage est pris dans une acception détournée, et signifiant " objet de menue valeur ", et provient des menus suffrages de l'Église. »

70. *ne denier ne maille*. Un denier = 2 mailles = 4 partis. La maille est la plus petite monnaie, le parti est une monnaie de compte ; de là l'impossibilité de partager une maille en deux, et l'expression *avoir maille à partir* (partager) *avec quelqu'un*, avoir un différend avec quelqu'un.

71-72. On peut aussi mettre un point d'interrogation après *belle dame*, et comprendre : « Vous ne savez pas comment vous y prendre ? »

74. *desmentez*. Sans doute y a-t-il un jeu sur cet impératif, *desmentir* signifiant « mettre en pièces, briser » et « démentir ».

76. *brunette*. L'assonance de *belle* et de *brunette* n'a rien d'anormal dans le théâtre comique de la fin du Moyen Age. *Gris-vert*, qui pouvait désigner des fourrures (voir notre éd. d'*Aucassin et Nicolette*, p. 170), qualifie ici un drap de couleur grise. « Ses variantes dans nos documents sont gris-blanc, brun, moutarde, noir, soret, estrange » (F. Piponnier, *op. cit.*, p. 390).

La *brunette*, selon G. de Poerck, *La draperie médiévale en Flandre et en Artois*, était « un drap de qualité, le plus souvent d'un bleu très foncé tirant sur le noir mais qui pouvait présenter d'autres nuances foncées ». Sur les tissus employés, voir M. Beaulieu, *op. cit.*, pp. 23-31.

79. Il s'agit d'un proverbe, dont J. Morawski a recensé une forme : *Celli (Il) ne choisist pas qui glane (emprunte)*, et qu'a repris, entre autres, Pierre de Hauteville dans la *Confession et Testament de l'amant trespassé de deuil* (éd. R. M. Bidler, vers 1563) : *Mais il ne choisist pas qui emprunte*.

80. *aulne*. 1 mètre 20.

83. *prestera*. *Prester* signifiait « donner ou vendre à crédit ».

88. *Avant*. Nous avons compris : « Allez-y ! » « Dépêchez-vous ! » *Avant* est fréquemment utilisé avec d'autres interjections

qui sont des incitations à aller de l'avant, soit pour dégager la place, soit pour se donner du cœur à l'ouvrage : *hay avant, or avant, harry avant, trut avant*... On le trouve seul dans le *Mistère de saint Martin*, d'André de la Vigne, dans la bouche d'un « brigand » : « Avant ! avant ! » (v. 3227 de l'édition Duplat).

89. *quel que soit en sera couvert*. On peut comprendre soit « A ce prix n'importe qui sera habillé », ou, s'agissant du prêteur, « n'importe qui aura les garanties suffisantes », par antiphrase « sera dupé, trompé ».

91. *ung blanchet*. Tissu de laine ordinaire, non teint, employé presque uniquement comme doublure. Selon G. de Poerck, *op. cit.*, c'était un « drap de laine assez grossière destiné à rester blanc et ayant subi en conséquence des façons spécifiques ». Voir Piponnier, *op. cit.*, p. 278, et Beaulieu, *op. cit.*, p. 26. Pathelin ne lésine pas : il utilisera une étoffe fine, la brunette, pour une doublure ou des vêtements de dessous.

Sans doute y a-t-il un jeu de mots, *blanchet* pouvant désigner un petit blanc, une petite pièce de monnaie.

94. *n'ombliez pas*. Forme normande. Cf. H. Lewicka, *op. cit.*, p. 89.

95. *Martin Garant*. Personnage imaginaire qui se portera garant de toutes les dépenses (en particulier de boisson). Comme le mot pouvait se prononcer *galant*, il s'agit alors de l'homme qui aime à faire la noce, à *galer*, et à régaler ses compagnons.

96. *quel marchant !* Nous retrouvons le mot marchand du vers 65. Sans doute y a-t-il ici un jeu sur les différents sens possibles du mot *marchant ;* en rapport d'abord, avec le nom *marché*, c'est le client qui marchande ou le marchand qui bonimente ; en rapport avec le verbe *marcher*, c'est le coquin qui rôde en quête d'un mauvais coup, un coureur d'aventures et souvent d'aventures amoureuses. Villon joue aussi avec ce mot quand il parle d'un mauvais garçon, Jean Le Loup, qu'il traite d'*homme de bien et bon marchant* (vers 1111). Le bon marchand pouvait être au XVe siècle un honorable commerçant, un joyeux drille et un trafiquant d'amour.

97. Ce vers est difficile à interpréter. S'agit-il du marchand que va rencontrer Pathelin et faut-il comprendre : « Plût à Dieu qu'il ne se rende compte de rien » ? Ou bien s'agit-il de Pathelin ? Ne serait-il pas préférable qu'il fût aveugle ? Ainsi ne se lancerait-il pas dans des aventures qui tournent mal pour lui. C'est ce deuxième sens que nous préférons.

98. *y la*. On peut hésiter, *y* pouvant représenter *il*, ou bien i de *ilà* sur le modèle de *ici*. Voir P. de Hauteville, *La Confession*..., *éd. citée*, vers 1351 : (à propos de la tombe) : *Yla seront en pourtraicture / Elle et moy*...

101. *Dieu i(l) soit !* Formule de souhait : « Que Dieu soit avec vous ! » Comme on prononçait très souvent *i* au lieu de *il* ou *ils*, on

a, en revanche, plus d'une fois la graphie *il* pour *i*. Cf. Holbrook, *op. cit.*, pp. 75-77, et P. Fouché, *op. cit.*, p. 898.

GUILLAUME JOCEAULME. Pour Mme Lejeune, ce serait le nom d'un moine franciscain qui fit grand bruit pour ses prédications subversives et ses propos antipapistes de 1417 à 1439, emprisonné plusieurs fois, excommunié et dénoncé par une bulle pontificale de 1429 (*art. cit.*, pp. 508-510). Plus vraisemblablement, le nom est à rapprocher de *guiller* « tromper », *guille* « tromperie ». R. Dragonetti, dans *Le Gai savoir dans la rhétorique courtoise* (pp. 34-35), a remarqué que « Très vaste, le champ sémantique de ce terme oscille entre l'idée de " ruse " (tromperie, malice, hypocrisie) et de " niaiserie " (bouffonnerie, farce, sottise). » Le nom de *Guillaume* désigne la sottise, mais ce sot est aussi un rusé qui trompe ses clients « si bien que dans la farce, non seulement Maître Pathelin, mais Guillaume lui-même apparaît en position de dupeur dupé » (*ibidem*, p. 36). Guillaume, c'est le rusé qui a trouvé son maître. Voir J. Cerquiglini, « *Un engin si soutil* ». *Guillaume de Machaut et l'écriture au XIVe siècle*, Paris, Champion, 1985, pp. 130-131.

102. Voir note du vers 56.

105. *dru*. Le mot a ici son sens primitif de « fort, vigoureux, plein d'entrain ». Pour les sens en ancien français, voir A. Grisay, G. Lavis, M. Dubois-Stasse, *Les Dénominations de la femme dans les anciens textes littéraires français*, pp. 151-155, et E. Benveniste, *Le Vocabulaire des institutions européennes*, Paris, Gallimard, t. I, 1969, pp. 104-110 ; *Problèmes de linguistique générale*, Paris, Gallimard, t. I, 1966, pp. 298-301.

106. *Sa*, ça. Voir Chr. Marchello-Nizia, *Histoire de la langue française aux XIVe et XVe siècles*, pp. 236-237 : « ... *ça* et *ci* renvoient au lieu où se trouve le locuteur... *Ça* moins fréquent que *ci*, est généralement employé avec un verbe de mouvement... mais il est de plus en plus rarement seul... *Ça* se trouve déjà en dialogue avec valeur exhortative ». C'est le cas ici.

111. *Ainsi vous esbatez. Soi esbatre*, c'est « mener une vie agréable ». E. Philipot, *art. cité*, commente ainsi : « Voilà votre façon à vous, gros travailleur, de vous amuser », « ainsi vous êtes heureux ».

Et voire. R. Martin et M. Wilmet, *Syntaxe du moyen français*, p. 272, ont fait remarquer « l'abondance des *et* expressifs à l'initiale de phrase, proches du moderne " donc " ou d'une interjection " hé ", " et bien ", etc. » Selon nous, *et* est souvent une pure graphie de ce que nous notons aujourd'hui *hé !*

115. *ne soigner ne paistre*. Sans doute jeu de mots sur *soigner*/*seigner*, ce mot signifiant « faire le signe de la croix ». Certaines pièces de monnaie portaient une croix sur un côté.

117. *tousjours hay avant*. A peu près, « c'est marche ou crève ».

118-120. *ung homme sçavant... de vostre pere*. A rapprocher de tours comme « un saint homme de chat », « c'est pauvre chose que de nous ».

122. *c'est il*. C'est lui. Sur l'évolution de ce tour, *ce sui je, ce est il...* devenant *c'est moi, c'est lui*, voir L. Foulet, *L'extension de la forme oblique du pronom personnel en ancien français*, dans *Romania*, t. 61, 1935, pp. 257-315 et 401-463, et t. 62, 1936, pp. 27-91 ; A. G. Hatcher, *From* ce suis je *to* c'est moi : *the Ego as subject and as predicate*, dans *P.M.L.A.*, t. 63, 1948, pp. 1053-1100 ; G. Moignet, *Le Pronom personnel français, essai de psychosystématique historique*, Paris, 1965, pp. 111-143, et Chr. Marchello-Nizia, *op. cit.*, p. 187.

137. Sur ce vers, voir le long commentaire d'Holbrook, *op. cit.*, p. 78.

139. *serrez*. Cette forme, pour *vous (as)siérez*, avec la réduction de *ye* à *e*, est une forme dialectale de l'Ouest. Voir. H. Lewicka, *op. cit.*, p. 89.

141. *de grans merveilles*. Il existe, de la même époque, un poème intitulé *Recollection des grandes merveilles* de ce temps (éd. par Kervyn de Lettenhove dans les *Œuvres* de G. Chastelain, t. VII, pp. 187-205) :

> Qui veult ouyr merveilles
> Estranges raconter ?
> Je scay les nonpareilles
> Qu'homme sçauroit chanter,
> Et choses advenues
> Depuis longtemps en ça
> Je les ay retenues
> Et sçay comme il en va.

145. *menton forché*, menton à fossette. Le *menton fourché* ou *fourchu* est, avec le *nez tratiz*, une des caractéristiques les plus constantes de la beauté féminine. La belle Heaulmière regrette de n'avoir plus « menton fourchu, cler viz traictiz » (*Testament*, v. 499) et la Maroie d'Adam de la Halle avait déjà « fourchelé menton » (*Jeu de la Feuillée*, v. 122). Il y a probablement une intention de moquerie à attribuer au drapier un trait de beauté qui semble plus proprement féminin. Mais il faudrait aussi imaginer ce que ces propos pouvaient recevoir d'échos burlesques, de la confrontation avec la réalité physique de l'acteur. Il n'est pas interdit de songer que le Gros Guillaume puisse nous donner une image traditionnelle du personnage traditionnel Guillaume, en sorte que l'embonpoint du personnage serait responsable de cette fossette faussement coquine.

146. *tout poché*. Voir l'art. passionnant de V. Väänänen, *C'est lui tout craché, une patelinade*, dans *Recherches et récréations latino-romanes*, Naples, Bibliopolis, 1981, pp. 289-305. Comme le leitmotiv au passage est l'idée d'un portrait ressemblant, il faut penser à des expressions en rapport avec la peinture, qui était alors la

peinture à la détrempe, et qui évoquent une exécution à coups de brosse vigoureux, qui fait ressortir les traits distinctifs. La pochade est une « espèce de croquis en couleurs, fait en quelques coups de pinceau ».

154. *crachié*. Métaphore burlesque pour R. T. Holbrook ; pour V. Väänänen *(art. cité)*, il s'agit seulement d'une métaphore énergique, pour désigner une opération instantanée, gage d'un naturel accompli. Nous avons conservé une forme figée de cette métaphore dans la locution « C'est lui tout craché ! » que Pathelin emploie au vers 425, en racontant cette scène.

159. *ante*. C'est la forme ancienne (du latin *amita*), qui, par agglutination avec *t'*, représentant *ta*, a donné *tante*.

160. *Nennin*. Autres formes : *nennil, nenni* (vers 273, 739, 1389), *nanni, nannin, nenel*... Voir P. Fouché, *op. cit.*, pp. 653 et 670, Ph. Ménard, *op. cit.*, p. 110.

dea. On a cru y voir une forme raccourcie de *deable*, diable. *Dea* se rencontre aussi sous la forme *dia* et *da*. Il est toujours monosyllabe. Une note de Sainéan au chapitre XIII du *Gargantua* de Rabelais (éd. Abel Lefranc, n. 41, p. 134) y voit une « forme réduite de *diva*, particule exhortative qu'on rencontre déjà au XIIe siècle et qui était probablement à l'origine une onomatopée ». Dans une notice de la *Revue des Études rabelaisiennes*, 8 (1910), pp. 158-162, Lazare Sainéan glosait *dea* par « certes, vraiment », et soulignait que cette particule employée constamment dans la transcription de la langue parlée avait deux fonctions chez Rabelais : 1) elle marque l'étonnement, la surprise, l'admiration ; 2) elle sert à affirmer plus fortement et vient renforcer l'affirmation, la négation ou l'interrogation pressante. Elle entre en composition dans la formation d'interjection comme *enda, endea, parenda,* etc. L. Sainéan rapproche *dea* de *dia*, cri que l'on adresse aux chevaux pour les diriger à droite en Bretagne et en Suisse, à gauche en France. Le *Dame* dont en certaines régions on ponctue la conversation jouerait aujourd'hui le même rôle.

163. Pour la rime *corsaige* (qui signifie « corps, allure, taille ») *-naige*, voir H. Lewicka, *op. cit.*, p. 89 : « La prononciation du suffixe *-aige*, assurée par les rimes *corsaige : naige* ou plutôt *neige* (vers 163-164) et *froumaige : aurai-ge* (vers 443-444) était répandue dans le Nord-Est et dans une partie des provinces de l'Ouest » et P. Fouché, *op. cit.* p. 347.

164. *comme qui vous eust fait de naige*. Y a-t-il une allusion au fabliau *L'Enfant de neige* ? Ce qui serait une manière détournée de dire à Guillaume qu'il est un bâtard.

171. *bachelier*. Le mot, qui pouvait s'appliquer aux nobles et aux roturiers, aux célibataires comme aux gens mariés, pourvus de fiefs et de terres, désignait toujours des jeunes gens, avec une résonance idéologique particulière, employé en bonne part et flanqué d'adjec-

tifs laudatifs. Voir Jean Flori, dans *Romania*, t. 96, 1975, pp. 312-313.

172. *le bon preudomme*. Christine de Pisan a défini le *vaillant* (valeureux) *preudomme* comme « preux en armes, noble en meurs et condicions, loyal en fait et en courage, sage en gouvernement et diligent en poursuite chevalereuse ». Pour une histoire du mot, voir E. Köhler, *L'Aventure chevaleresque*, Paris, Gallimard, 1974, pp. 149-160, et notre traduction du *Vair Palefroi*, Paris, Champion, 1977, pp. 38-40.

181. *traictis*. « Fait avec art, bien tourné. »

182. *faictis*. « Bien façonné, élégant. »

185. *de l'orine*. Équivoque obscène, puisque le mot désignait l'origine et l'urine.

188. *songner*, soingner, soigner. « Donner ses soins à, travailler. »

190. *taint en laine*. Teint avant d'être tissé. Sur l'industrie et le commerce de la laine, voir G. de Poerck, *op. cit.*, G. Espinas, *La draperie dans la Flandre française au Moyen Âge*, Paris, 1923, 2 vol., H. Van Werveke, *Industrial Growth in the Middle Ages. The Cloth Industry*, dans *Miscellanea mediaevalia*, Gand, 1968, pp. 381-391; H. Laurent, *Un grand commerce d'exportation au Moyen Age. La draperie des Pays-Bas en France et dans les pays méditerranéens*, Saint-Pierre-de-Salerne, 1978.

191. *comme ung cordoen*. Comme un cuir de Cordoue. Cuir en principe de Cordoue, mais employé pour désigner tout cuir de qualité. Voir Gay, *op. cit.* : « peau de chèvre ou de bouc tannée, à la différence du maroquin dont la matière est la même, mais qu'on préparait au sumac et à la noix de galle. Malgré l'usage très ancien, en France, du *cordouan* qui a donné son nom aux *cordouaniers*, il passe, avec raison, pour un produit originaire de l'Andalousie ». Le mot prêtait souvent à équivoque, et désignait le sexe de la femme. Voir Coquillart, *éd. cit.*, *L'Enqueste...*, vers 337-338.

192. *drap de Rouen*. C'est principalement à Montivilliers et à Rouen qu'au XVe siècle se tissaient les draps fins. La cour d'Anjou y achetait ses écarlates. La ville fut renommée à partir de 1450 pour ses gris. Voir M. Beaulieu, *op. cit.*, pp. 25-26, et Fr. Piponnier, *op. cit.*, p. 397.

193. *bien drapé*. Bien foulé pour le rendre plus ferme, plus serré, donc plus résistant.

199. *retraire une rente*. Voir P. Lemercier, *art. cit.*, pp. 220-221 : Que la rente « ait sa source dans un bail à rente, ou dans une constitution de rente, c'est-à-dire que le propriétaire d'un fonds ait transféré à titre définitif à un acquéreur la propriété du fonds moyennant le versement d'une rente annuelle ou que le propriétaire sans aliéner son fonds ait vendu, donné ou légué à une autre

personne le droit de percevoir chaque année une rente sur ce fonds, la rente est toujours une charge pécuniaire qui pèse sur l'immeuble en quelques mains qu'il passe et qui oblige le débirentier, devenu ou resté propriétaire de la maison, à verser au crédirentier bénéficiaire de la rente une certaine somme d'argent à une certaine époque de l'année [...] Mais à la suite des revers de la guerre de Cent Ans et de l'appauvrissement général qui en résulta, la charge des rentes devint trop lourde, d'où une grave crise immobilière dans la première moitié du XVe siècle, comme si de nos jours le service des prêts hypothécaires venait à absorber la quasi-totalité des loyers. Accablés par l'obligation de payer tous les arrérages de rentes successivement établies sur leurs maisons, certains propriétaires les abandonnèrent, d'autres cessèrent de les entretenir. L'état déplorable du patrimoine immobilier provoqua l'intervention du pouvoir royal. Elle se manifesta dans diverses villes du royaume, mais tout particulièrement à Paris. L'ordonnance la plus importante à cet égard fut celle de Charles VII, en novembre 1441. Entre autres dispositions, elle permit aux propriétaires de racheter les rentes au denier douze, c'est-à-dire en versant au crédirentier douze fois le montant annuel de la rente ».

203. *Escus.* L'écu à la couronne, en or, dont la fabrication avait été ordonnée le 12 juillet 1436, était une monnaie forte, équivalent à 25 sous tournois et par conséquent à 300 deniers. Pour comprendre la réaction du drapier, se rappeler que la monnaie médiévale est « à la fois, un instrument de mesure et une marchandise » (Et. Fournial, *Histoire monétaire de l'Occident médiéval*, Paris, Nathan, 1970, p. 7).

205. *monnoye.* Le texte oppose le paiement en pièces d'or *(les écus)* plus recherché parce que moins porté à se dévaluer, et le paiement avec les autres pièces (*monnoye*). Cette opposition se rencontre souvent. Voir *La Vie du mauvais riche* où le Mauvais Riche déclare : « ... j'ai assez or et monnoye / pour mon estat entretenir / ainsi qu'il me vient à plaisir » (ATF, III, p. 271). Voir surtout dans le *Journal de Gouberville* des notes de compte comme celle-ci : « Apprès disner, je baillé au sieur Pierres Dossés neuf escus sol et vingt escus sol et dix francs, le tout tant en or comme pistoletz, angelotz, doubles ducatz et escus sol, que monnoye » (*Journal du sire de Gouberville*, publié sur la copie du manuscrit original faite par M. l'abbé Tollemer, Caen, 1892, p. 157 ; voir aussi p. 254 une note analogue), voir aussi Madeleine Foisil, *Le Sire de Gouberville*, Paris, coll. Champs, Flammarion, 1986.

210. *cotte.* Vêtement de dessous, commun aux hommes et aux femmes. La cotte masculine a tendu à disparaître au XVe siècle. Voir Fr. Piponnier, *op. cit.*, p. 385.

212. *comme cresme.* Selon Holbrook, il s'agit du saint chrême, huile mêlée de baume, employée dans quelques cérémonies religieuses (confirmation, ordination des prêtres...). Mais l'explication est peu vraisemblable. En effet, s'il s'agissait du saint chrême, on

aurait l'article défini et sans doute l'adjectif *saint ;* de plus, dans le langage courant, la référence est plutôt la crème du lait qui, par rapport au lait, est d'un prix plus élevé.

215. *couste et vaille.* Repris par Rabelais dans le *Tiers Livre*, ch. XIII, et dans le *Quart Livre*, ch. VII.

217. *qu'onc(ques) ne virent pere ne mere.* Ce vers, qui a été repris par Rabelais (*Pantagruel*, XVII), peut se comprendre de deux manières différentes : 1) il s'agit d'argent que j'ai gagné et non pas hérité ; 2) ou bien d'argent qui ne vit ni père ni mère, donc qui n'existe pas.

A ces interprétations, Marc Berlioz (*Rabelais restitué, I. Pantagruel*, Paris, Didier, 1979) fait des objections que l'on peut prendre en considération : 1) on ne voit pas pourquoi Pathelin ferait cette distinction entre argent gagné et argent hérité ; 2) cette interprétation paraît un subterfuge « qui n'est rien moins que vraisemblable puisque Pathelin édifie sa tromperie sur une attitude cordiale et expansive ». Il interprète : « *qui ne virent jamais père ni mère*, c'est-à-dire qui n'ont point de parenté, donc point d'attache, donc point d'engagement et qu'ils sont disponibles » (pp. 401-402).

Michel Rousse nous a proposé une autre interprétation : « Il faut considérer le mouvement du dialogue. Guillaume vient d'annoncer à Pathelin que le drap risque de lui coûter plus cher qu'il ne croit. A quoi Pathelin répond que ça n'a pas d'importance, qu'il a de l'argent en réserve, « qui ne virent pere ni mere », c'est-à-dire qui ne sont jamais sortis et sont restés ignorés de tous, même des plus proches ; une épargne secrète. Il a de l'argent « à l'ombre » : il faut en effet rapprocher ce vers du vers 344 où le drapier déclare « Ilz ne verront soleil ne lune / les escus qu'i me baillera, / de l'an, qui ne les m'emblera ». Il s'agit d'une attitude identique et d'une expression symétrique. Le drapier s'apprête à thésauriser, à l'abri de tous regards, les pièces d'or que Pathelin, croit-il, va lui remettre.

Mais il faut faire ici encore la part au jeu sur les mots et les expressions toutes faites dont l'auteur de *Pathelin* et son héros sont friands. Je crois donc que l'explication que je propose est celle qui est plausible pour tous et que comprend le drapier. Mais pour Pathelin, le sens « qui n'ont jamais existé » est présent. De même que les écus qui ne verront pas le soleil est un magnifique jeu de mots que l'auteur se paie dans la bouche de son personnage puisqu'il ne recevra jamais ces écus (dans la même position de structure dramatique — monologue de transition où le personnage prévoit ce qu'il croit être un événement favorable — Guillaume déclare au vers 504 " je happerai la une prune... "). »

218. *Par saint Pere.* « La réduction de *ye* à *e* confirmée par la graphie *Pere = Pierre* (v. 218, 584) et les rimes *Pierre : tromperre* (vers 759-760), *Pierre : guerre* (vers 1256-1257), *Pierre : erre* (vers 1266-1267), *clere : Pierre* (vers 1528-1529), est typique pour l'Ouest » (H. Lewicka, *op. cit.*, p. 88).

Il s'agit du juron préféré de Guillaume (vers 218, 584, 759, 1529, et, sous une forme étoffée, vers 671, 821). Pathelin l'emploie deux fois, pour amadouer le drapier (vers 109) et pour l'imiter en se moquant (vers 1427). Voir R. Lejeune, *art. cité*, p. 489.

219. *en piece*. De longtemps, jamais.

226. *ne croix ne pille*. Locution courante : même si vous n'aviez pas la plus petite pièce de monnaie ; cf. Villon, *Testament*, vers 98. La *croix* se trouvait sur le *droit*, ou *face*, ou *avers* de la pièce ; sur le côté opposé, appelé *pile* ou *revers*, étaient empreintes les armes du souverain et la valeur de la pièce.

228. *pers*. Bleu foncé, selon de Poerck, *op. cit.*

231-232. Il s'agit du *denier à Dieu*, d'une menue somme que les clients donnaient pour commencer ou conclure un marché, au bénéfice d'ordres religieux ou d'œuvres de bienfaisance ; ensuite, l'expression put désigner la somme donnée au concierge d'une maison où l'on retient un logement, au domestique qu'on veut engager... Dans notre scène, la remise du denier à Dieu a précédé la formation du contrat. Cf. P. Lemercier, *art. cité*, pp. 201-202.

234. *vous dittes que bon homme*. « Vous parlez en homme de bien. » Selon l'interprétation traditionnelle, il faut comprendre : « vous dites ce que dit un homme de bien » ; mais, pour Pol Jonas dans sa thèse sur les systèmes comparatifs, *que* serait une conjonction signifiant « comme ». Voir Chr. Marchello-Nizia, *op. cit.*, p. 162.

238. *vingt et quattre solz*. Vingt-quatre sous. « L'échelle des monnaies anglaises correspond à l'échelle médiévale, et les abréviations anglaises au nom des anciennes monnaies du Moyen Âge : la *livre* (L) vaut en effet vingt *shillings* (s), c'est-à-dire vingt *sous* ; le *shilling* vaut douze *pence* (d), c'est-à-dire douze *deniers ;* le *demi-penny* correspond à la *maille*, et le *farthing* au *parti*. » (G. Raynaud de Lage, *Manuel pratique d'ancien français*, Paris, Picard, 1964, p. 190).

245. *par la grant froidure*. Pour Holbrook, il pourrait s'agir de l'année 1464 dont l'hiver fut particulièrement rigoureux. Mais M. Roques a ruiné cet argument qui servait à dater la pièce : « ... on peut avoir affaire ici simplement à un propos de marchand déloyal, qui serait d'autant plus comiquement réaliste que le drapier expliquerait ses prix excessifs par des causes imaginaires » (éd. Holbrook, p. XIV).

252. *huit blans*. Le blanc était une pièce d'argent qui valait le cinquième de l'écu.

L'auteur joue sur la désarticulation de la phrase, en rapprochant *de laine* de *par mon serment*.

254. *Par le sanc bieu*. Par le sang de Dieu. Exemple de ces jurons où l'on déformait le nom de Dieu, pour éviter le sacrilège, en *bé, bieu, bleu : corbleu* (par le corps de Dieu), *morbleu* (par la mort de Dieu), *palsambleu* (par le sang de Dieu)...

255. *je marchande.* Ici, « j'achète, je conclus un marché ».

259. *Lé de Brucelle.* La largeur de Bruxelles était de deux aunes. « Ainsi donc le drap que choisit maître Pierre est le plus avantageux : il a double largeur » (O. Jodogne, dans *Festschrift Walther von Wartburg*, 1968, p. 438).

263. *becjaune.* Voir aussi 349, 1293. Étourdi, sot, comme l'oiseau qui sort du nid avec le bec encore jaune; c'était le nom des nouveaux venus dans les collèges. Dans la *Farce de la Pipée*, un des personnages s'appelle Jaune-Bec. Voir l'éd. à paraître de Michel Rousse et E. Huguet, *Le Langage figuré au XVIe siècle*, p. 169.

266. *rondement.* Holbrook traduit par « bonnement »; mais il semble plutôt qu'il faille comprendre « pour arrondir la somme, pour faire un compte rond ».

269. *sans rabatre.* S'emploie souvent avec *compter* au sens de « sans faire de réduction ».

270. *Empreu.* « ... indique la première unité d'une série continue qu'on prononce. On craignait que cette énumération n'appelât le diable et, dès lors, on le faisait précéder d'une sorte d'exorcisme » (O. Jodogne, *trad.* p. 61). Cf. *Romania*, t. XVII.

272. *ric a ric.* Ric-rac, avec une exactitude scrupuleuse, juste. Cf. *Mystère de la Passion* d'A. Gréban, éd. Paris et Raynaud, vers 30610-30611 :

> Allons partir notre butin
> ric a ric, a chacun sa piece.

Cette onomatopée, sous la forme de *riqueraque*, a fini par désigner une sorte de danse, voire un poème, composé de « huitains formés eux-mêmes de deux croisées aux rimes variées » (H. Morier, *Dictionnaire de poétique et de rhétorique*).

Selon Holbrook, *op. cit.*, p. 95, « ce qui résulte de cette façon d'auner, c'est un mouvement qui a dû ressembler à la cadence de deux danseurs, ressemblance que le drapier rehausse en comptant, chaque fois que les deux hommes aunent ».

273. *de par une longaine.* Le mot, qui désignait les latrines, toute sorte de cloaque, un lieu infect, était devenu un terme d'injure, employé dans les jurons. Jeu sans doute sur la première syllabe, puisqu'il est question de mesurer la longueur du drap. Voir Holbrook, *op. cit.*, pp. 95-98.

274. *parte.* Prononciation parisienne et populaire de *perte*. Cf. P. Fouché, *op. cit.*, pp. 348-350.

277-281. Le décompte se traduit ainsi : 6×24 sous parisis $= 6 \times 30$ sous tournois $= 9$ francs ou livres tournois $= 6$ écus. Voir E. Cazalas, *Où et quand se passe l'action de Maître Pierre Pathelin?* dans *Romania*, t. 57, 1931, pp. 573-577, qui cite un commentaire très intéressant d'E. Pasquier, dans les *Recherches sur la France*, 1560, livre VIII, chap. LIX).

278. *une* rentre dans beaucoup d'expressions que les dictionnaires n'ont pas relevées et qui impliquent que le sujet vient de faire l'objet d'un bon tour. « Par le corps bieu, j'en ay pour une », s'écrie le Franc Archer de Bagnolet quand il découvre qu'il n'a affaire qu'à un épouvantail (v. 340). Dans *Le Gentilhomme et Naudet,* le Gentilhomme découvrant que sa robe a disparu, et prenant conscience du risque qu'il a pris en envoyant Naudet auprès de sa femme, s'exclame : « J'ay perdu ma robe contant/Mais je crains d'en prendre encor une » (J'ai peur d'être victime d'un nouveau tour du sort.) Dans la farce du *Retrait,* « Mort bieu, il en a bien d'une ! » (v. 478), commente Guillot quand le mari demande pardon à sa femme (« il a été bien dupé »). Dans la *Sottie nouvelle des Trompeurs,* Fine Mine et Teste Verte se moquent de Chascun à qui Le Monde a donné une trompe dont il ne sort aucun son :

Fine Mine : Va t'en coucher, tu es soppé.
Teste Verte : Tu en as pour une, mon amy !

La nuance n'est pas toujours facile à préciser. Dans *Pathelin,* le contexte semble indiquer que l'expression pouvait être moins explicite, à moins de supposer que ce soit un aparté : « Ah, me voilà bien ! »

287. *saint Gille.* Célèbre par sa solitude et son mutisme (voir *La Légende dorée*), saint Gilles n'est-il pas ironiquement invoqué comme le patron de la ruse, dans la mesure où *guile, gile* désigne la tromperie ?

297-298. *a l'estraine.* A la première vente de la journée. *Estrainer,* c'était faire un cadeau à l'occasion d'un commencement soit du jour soit de l'an.

300. *Et si mangerez de mon oye.* Tout au long de la pièce, l'auteur joue avec l'expression *manger de l'oie.* Aux vers 300, 500-501, 698-699, l'expression est employée au sens propre de « manger d'une oie rôtie » ; au vers 1577, il s'agit du sens figuré de « tromperie, moqueries » ; aux vers 460 et 701, sans doute l'auteur joue-t-il sur les deux sens. Selon M. Roques (dans *Romania,* t. 57, 1931, pp. 548-560), la farce a repris et revivifié une expression proverbiale *faire manger de l'oie* « tromper par d'alléchantes promesses », qu'on retrouve dans *Les Feintes du Monde* de G. Alecis (vers 275-276) et les *Cent Nouvelles nouvelles* (éd. Sweetser, p. 230). Voir aussi B. Rey-Flaud, *La Farce ou la machine à rire,* Genève, 1984, p. 181. Villon a fait une plaisanterie du même genre dans le *Testament,* vers 1649 ; voir nos *Nouvelles Recherches sur Villon,* pp. 231-232.

301. Ici encore, désarticulation cocasse de la phrase : *que ma femme rotist* s'applique à coup sûr à *mon oye,* mais le rapprochement avec *Dieu* est comique.

306. *Soubz mon esselle.* L'expression, employée ici au sens propre, pouvait signifier « en cachette ».

308-309. *Male feste* est, selon H. Lewicka, *op. cit.,* p. 90, un juron normand. *Envoise :* cette forme, que nous trouvons dans les

Imprimés de Le Roy et de Levet, est sans doute un doublet d'*envoie*.

Selon Mme Lejeune, *art. cit.*, p. 489, la petite église de Sainte-Madeleine, dans la Cité, servait à deux fins : elle était le siège d'une pieuse confrérie « où les riches Parisiens se donnaient le luxe de l'humilité » ; d'autre part, les écoliers allaient régulièrement y prier « afin d'obtenir les pardons à l'occasion de leurs fêtes particulières ».

314. *gallé. Galer,* c'est mener une vie de plaisir, dans l'insouciance et le détachement des choses matérielles.

326. *vous ne prisez ung festu.* Vous n'attribuez pas la valeur d'un fétu de paille, vous n'accordez pas la moindre importance.

327. *entre vous* pour *vous* est énuméré par E. Philipot parmi les traits normands de *Me Mimin étudiant* (H. Lewicka, *op. cit.*, pp. 89-90).

334. *Or?* Nous avons compris qu'il s'agissait de la reprise du nom *or* avec lequel jongle l'auteur aux vers 333, 334, 335, 339. Mais certains y voient l'adverbe *or*.

337. *a mon mot.* Annonce d'un leitmotiv de la troisième partie de la pièce.

339. *On le luy fourre.* « Cette façon de parler fait allusion à des pièces de monnaie qu'on appelle " fourrées " parce que le faux monnayeur y a fourré un flan de faux aloi, que couvre dessus et dessous une feuille de bon or. » (*Ducatiana,* IIe partie, p. 501.)

344. Le drapier aime à thésauriser : au péché de cupidité, il ajoute celui d'avarice.

347. *entendeur.* Client habile. Il s'agit bien de trompeurs qui essaient de se duper l'un l'autre. Le drapier n'a cessé de mentir sur sa marchandise, sur la situation du commerce.

352. *En ay je ?* Expression comique dans la mesure où elle prête à équivoque, et la question de Guillemette souligne la plaisanterie. Rabelais la reprendra dans le *Nouveau Prologue* du *Quart Livre.*

353. *vostre vieille cote hardie.* Cette variété de *surcot,* fermée devant et sur les côtés par une série de boutons, était portée de préférence pour sortir, le surcot se portant à l'intérieur. Fabriquée en laine, la cote hardie s'est maintenue jusqu'à la fin du XIVe siècle. Voir Fr. Piponnier, *op. cit.*, p. 385, et M. Beaulieu, *op. cit.*, p. 77. Guillemette paraît suivre la mode du siècle précédent.

355. Guillemette semble craindre que Pathelin, désargenté, ne vende ou n'engage sa cote hardie.

356. *En ay je?* A noter ce goût des reprises de mots à effet comique.

358. *par le peril de mon ame.* Juron normand.

359. *couverture*. « Caution donnée pour assurer un paiement. » Pathelin aurait utilisé une provision donnée par un client. Le mot *couverture* signifie aussi « tromperie ». Voir R. Lejeune, *Le Vocabulaire juridique de Pathelin et la personnalité de l'auteur...*, p. 192.

360. *dont*. *Dont* a le sens de « d'où » en interrogation directe, en interrogation indirecte, en relative. Voir R. Martin et M. Wilmet, *Syntaxe du moyen français*, p. 256.

362. *se* graphie de *ce* démonstratif.

364. *desvoyé*, détraqué, fou. Pathelin veut dire qu'il a extorqué la pièce de drap à quelqu'un de très malin qu'il a payé de promesses.

367. *Blanc comme ung sac de plastre*. La plaisanterie est à double détente. *Blanc* est d'abord employé au sens figuré de « trompeur (voir nos *Nouvelles Recherches sur Villon*, p. 82) ou, en argot, d' « homme simple, niais ». Ensuite, l'auteur revient au sens propre de *blanc* en comparant le marchand à un sac de plâtre.

368. *challemastre*. Selon Holbrook, jaquemart; selon J.-Cl. Aubailly, ce serait un dérivé de *chalemie* (flûte de berger) avec le suffixe péjoratif *-astre*, pour désigner un joueur de flûte, un homme de rien. Le mot n'apparaît que dans *Pathelin*.

369. *en est saint sur le cul*. Selon V. L. Saulnier, dans *Rabelais dans les provinces du Nord...*, *La Renaissance et les provinces du Nord*, Paris, CNRS, 1956, pp. 138-139, il s'agirait d'une manière ridicule de s'habiller, le personnage pouvant être un « pauvre hère étique dont la ceinture tombe faute d'embonpoint » ou un « ventripotent contraint en quelque sorte de porter sa ceinture au-dessous d'une bedaine avantageuse », ou un individu portant « une ceinture un peu lâche, négligemment serrée ». Pour O. Jodogne, dans *Festschrift Walther von Wartburg*, p. 439, le personnage serait entravé dans ses mouvements. « Mais s'agit-il d'une ceinture dont l'on se serre le corps ou d'une ceinture qu'on vous impose ou même de liens qui vous paralysent ? *Estre ceint sur le cul* évoquerait l'impossibilité où l'on se trouve de se déplacer, d'agir. »

Faut-il aller plus loin et voir dans ce vers un rappel ironique à une pratique plus ou moins magique qui immobilise? Dans son livre passionnant, *Savoir faire. Une analyse des croyances des « Évangiles des Quenouilles » (XV*e *siècle)*, Montréal, Ceres, 1982 (*Le Moyen Français*, 10) Madeleine Jeay remarque : « Ceinturer constitue le recours habituel, le geste conjuratoire polyvalent, que ce soit par l'usage de ceinture pour délivrer les possédés, juguler le démon de l'incontinence ou hâter le travail des femmes en couches, par des processions autour des églises, des champs ou des villes pour chasser calamités, maladies et fléaux. Lorsqu'il s'agit d'exorciser le loup-garou, l'utilisation de la ceinture présente un caractère moins généralement prophylactique, plus spécifique. Il arrive en effet que la métamorphose en loup-garou puisse se faire à l'aide d'une ceinture. Elle se révèle donc toute-puissante contre lui, de même que le tablier (qui ceint aussi la taille) : il suffit de traîner l'un de ces deux objets par terre après soi pour que le loup-garou ne puisse approcher. Dans une situation analogue, suivie par un loup, la femme doit aussi traîner sa ceinture, mais en même temps menacer l'animal en invoquant la Vierge... » (p. 127).

375. *ung parisi*, un denier parisis.

376. *le beau nisi*. Une lettre de *nisi* (abrégée en *nisi*) était une obligation par serment sous peine d'excommunication.

377. *ung brevet*. Autre espèce d'obligation, un acte de brevet, « une procuration dont le notaire ne garde pas la minute et qu'il délivre sans y mettre la formule exécutoire » (Littré). Voir R. Lejeune, *Le Vocabulaire juridique*, p. 193.

380. *on nous gaigera*, on saisira nos meubles comme gages d'une dette.

389. *ung Guillaume*. Ce nom était passé dans l'usage courant pour désigner un niais ou un mari trompé, ou un faux niais.

396. *la main sur le pot*. Manière de s'engager en mettant la main sur un pot à vin. Cf. P. Lemercier, *art. cité*, pp. 204-205.

398. *Au fort, au fort aller*, « après tout », « au bout du compte », « enfin ».

403. *brester*, « parler à tue-tête », « prier instamment ». Cf. vers 433.
pour... a le sens concessif.

407. *armé et blasonné*. Sans doute, au sens propre, pourvu d'armoiries (ou d'un équipement armorié) et de blason ; puis, pour *blasonner*, décrit, qualifié de manière élogieuse ; enfin, par ironie, « il s'est moqué de lui ».

414. Juron qui prend le contrepied de la formule d'assertion ordinaire qui est au vers 536. « Mais je reconnaîtrai Dieu s'il n'est pas issu d'une sale engeance », ce qui est bien irrévérencieux par ses sous-entendus, puisqu'il laisse entendre qu'une telle probabilité n'existe pas.

415. *peaultraille*, « canaille, populace », mot de l'Ouest. Voir G. Roques, *Envoyer au peautre*, dans *Revue de linguistique romane*, t. 49, 1985, pp. 137-150.

416. *vilenaille*. Sur le suffixe en *-aille*, voir H. Lewicka, *La Dérivation*, Paris, 1960, p. 196. Ce suffixe a permis de fabriquer beaucoup de mots péjoratifs à valeur collective : *chiennaille*, *frapaille*, *merdaille*, *truandaille*... qui ont le même sens que *canaille*.

419. *chiere*. Ce mot, qui vient du grec latinisé *kara*, désignait le visage au Moyen Âge. *Faire bonne chère*, c'était donc accueillir les gens avec un visage souriant ; de là, le mot s'est appliqué à l'accueil, à la bonne vie, au repas qui traduit cet accueil et cette bonne vie, enfin au repas en général.

421. *eschaffauldoye*, échafaudais. Faut-il garder le sens d'« entasser des boniments » comme le veut Holbrook, ou bien donner au mot un sens en rapport avec le théâtre « jouer une scène » ?

422. *entrelardoye*. Ce terme de cuisine, qui signifie « piquer de lard », a été pris au sens figuré dès le XIIIe siècle ; voir Philippe de Remi, *Jehan et Blonde*, éd. S. Lécuyer, vers 3573-3575 :

Leurs disners entrelardés fu
De chou qui plus plaisant leur fu,
Che fu de baisiers saverous.

427. *marsouyn*. Sorte de dauphin ou pourceau de mer, qui fréquente les côtes françaises. Dans la langue populaire, il désigne un homme laid, mal bâti, répugnant.

428. *babouyn*. Singe cynocéphale aux lèvres proéminentes. Couramment employé au XVIe siècle pour désigner le sot.

432. Selon G. Cohen, *Le Théâtre en France au Moyen Âge, II, le Théâtre comique*, p. 84, « il met assurément l'ongle aux dents et l'en éloigne brusquement en le faisant claquer. Le geste existe encore. »
Molière utilise ce geste, qui paraît faire partie des gestes traditionnels du code théâtral, dans *Tartuffe* I, 5 :

Et je verrais mourir frère, enfants, mère et femme
Que je m'en soucierais autant que de cela.

438. La fable du corbeau et du renard était bien connue au Moyen Âge : on la retrouve dans les *Fables* de Marie de France et dans les *Isopets*.

439-441. La toise vaut à peu près deux mètres. Dans le *Roman de Renart*, c'est le chat Tibert qui, au haut d'une croix, déguste une andouille.

445-446. *le corbeau/le corps beau* est une rime équivoque, dont les Grands Rhétoriqueurs étaient friands.

448. *Cornardie*, sottise. Les cornards de Rouen étaient une association de sots qui portaient des bonnets à cornes. Il en existait aussi à Évreux, à Vire, à Cherbourg, etc. Voir H. Lewicka, *op. cit.*, p. 93, et surtout le travail à paraître de Michel Rousse (voir bibliographie).

452. *serre*. *Serrer*, c'est « fermer », « cueillir » (des fleurs), « ramasser ».

459. *la moe*. La bouche (en français populaire), c'est-à-dire les mots par lesquels Pathelin a dupé Guillaume.

462. *braire*. Ce mot n'avait pas au Moyen Âge le sens restreint qu'il a aujourd'hui, « crier en parlant de l'âne ». Il signifiait : « pousser des cris (de douleur, de surprise peinée), pleurer »...

469. *fade*. Ce mot, qui vient du latin populaire *fatidus*, signifiait « faible, languissant, pâle » ; *faire chiere fade* voulait dire « avoir l'air triste ».

472. *trudaines,* « fariboles, bourdes, calembredaines ».

475. *rigoler,* « plaisanter, se divertir ». Ce verbe est employé trois fois de façon intransitive (475, 528, 529), une fois avec *te* réfléchi (1567), une fois avec *me* non réfléchi (1580).

476. *flageoler.* Jouer de la flûte, duper en jouant du flageolet comme les oiseleurs, dire des sornettes. Selon Holbrook, *op. cit.*, pp. 98-102, « ... de bonne heure, on a dû se servir du flajol, du flageolet ou d'autres instruments semblables pour attirer les oiseaux dans les gluaux ; de là l'idée d'une sorte de musique par excellence triviale, bien propre à tromper les bêtes (cf. piper)... » Cotgrave définit le *flageoleur* comme « A piper, a whistler : also a cousener, cheater, conycatcher, notable deceiver. » Le verbe signifie couramment « bavarder ». On peut comprendre le vers soit : « Laissez-moi le duper par mes propos », soit : « Laissez-le-moi débiter ses sornettes. »

477. *en* peut être considéré ici comme représentant de *de moi.* Voir J. Pinchon, *Les Pronoms adverbiaux* en *et* y, Genève, Droz 1972, p. 99.

487. *on vous pilloria.* Le pilori était un poteau, un pilier, voire une tourelle à un étage, au milieu de laquelle était un cercle de fer tournant sur pivot et percé de trous, à travers lesquels on passait la tête et les bras des condamnés, en signe d'infamie. L'exposition au pilori était d'ordinaire de deux heures par trois jours de marché consécutifs.

491. *nous ne gardons l'eure.* « Nous ne savons à quelle heure (le drapier arrivera) », selon Holbrook, *op. cit.*, pp. 103-104. Mais Nyrop (*Observations...* pp. 344-356) propose plus vraisemblablement : « s'attendre à ce que, prévoir... »

495-496. *larmes/fermes.* Cette rime « peut être interprétée dans deux sens, soit comme une preuve de la prononciation parisienne, soit, au contraire, comme un trait du dialecte normand, où *ar* était prononcé *er* ». (H. Lewicka, *op. cit.*, p. 89.)

501. *par saint Mathelin. Mathelin* est une forme populaire courante de *Mathurin* qui, pour avoir apaisé jadis la fille de l'empereur Maximien, passait pour un grand guérisseur de fous. De là tout un bouquet de locutions en rapport avec la folie : *devoir une chandelle à saint Mathurin,* « être attaqué de folie », *envoyer à saint Mathurin,* « faire passer pour fou, envoyer à l'asile d'aliénés », et Antoine Oudin, dans ses *Curiosités françaises,* parle d'un *pèlerin saint Mathurin,* d'un fou. Voir aussi l'article d'E. Huguet « Mathurin (saint) », Villon, *Testament* vers 1280 (et nos *Recherches sur le Testament de Fr. Villon,* 2e éd., t. II, pp. 445-446) et la farce de *Pathelin* aux vers 546-547. Sans doute y a-t-il dans cette invocation un clin d'œil au public : n'est-ce pas faire preuve de folie que de se réjouir d'aller boire et manger de l'oie chez Pathelin ?

Bien plus, il est difficile de ne pas entendre *Pathelin* derrière

Mathelin. Non seulement les noms ne diffèrent que par l'initiale, mais encore cette initiale est dans les deux cas une occlusive labiale, c'est-à-dire que l'une et l'autre ont des caractères articulatoires communs. Le M ajoute au P sonorisation et nasalisation. Il est piquant de voir le nom du maître fourbe se dessiner sous l'invocation à un saint, au moment où le drapier évoque le ressort de sa ruse.

Mais, en retour, cette équivoque que la rime renforce, cette parenté que le voisinage de la rime souligne, ne peuvent pas ne pas nous suggérer que *Pathelin* est un *Mathelin;* voir Le Roux, *Dictionnaire comique :* « De là est aussi venu qu'on appelle par dérision Mathurin, un homme qu'on veut taxer de folie. »

504. *Je happeray la une prune.* Une *prune* désigne quelque chose de peu de valeur, ou, c'est le cas ici, une aubaine, un bon morceau (Voir G. Coquillart, *Les Droits nouveaux établis par les femmes,* vers 299, et Arnoul Gréban, *Le Mystère de la Passion,* vers 24881). Plaisamment, ce pouvait être un mauvais coup ; cf. *Le Mystère de la Passion* de Jean Michel, vers 2299 et 22660 ; et aussi E. Droz et H. Lewicka, *Le Recueil Trepperel,* t. II, les *farces,* p. 23, note au vers 217.

Nouveau clin d'œil aux auditeurs, car l'expression courante *avaler une prune* avait un sens défavorable, comme dans ce rondeau (CCXXII), où Charles d'Orléans se plaint de Fortune :

> Ce ne m'est que chose commune,
> Obeir fault a ma maistresse ;
> Sans machier, soit joye ou tristesse,
> Avaler me fault ceste prune,...

Voir Michel Rousse, *Le Rythme d'un spectacle médiéval...,* p. 577 : « Le caractère ambigu des propos du drapier est souligné à plaisir par l'auteur. Guillaume énonce une chose et le spectateur doit en comprendre une autre... »

512. Nous avons aux vers 512 et 517 suivi la leçon du manuscrit La Vallière, qui paraît être la bonne leçon. Au vers 512, Guillaume, qui ne comprend pas de qui il s'agit, demande simplement : « Qui ? ». En 517, il faut lire *Le... Qui ?* C'est la réaction de Guillaume aux vers précédents de Guillemette :

> Ou il est ? Le povre martir !
> Unze sepmaines sans partir !

Guillaume n'en croit pas ses oreilles : ébahi, il reprend, sur le mode interrogatif, ce qu'il vient d'entendre : « Le (povre martir) » et s'arrête en cours de route pour demander « Qui ? », tellement il est stupéfait.

519. *aplommé,* aplombé. Au sens premier, « assommé avec une masse de plomb ».

532. *couvrir de chaume.* On couronnait de paille les fous dont on voulait se moquer, le chapeau de paille pouvant être un attribut distinctif du fou. Voir *Miracles de Notre Dame par personnages,* XVII, vers 1473-1482. A. Jeanroy proposait de comprendre (*Revue de Philologie française,* t. VIII, p. 118) : « Il ne faut point se coiffer

d'un chapeau de paille ici, c.-à-d. faire le fou. » L'interprétation de Jeanroy est fondée sur un vers du *Mystère de saint Pons :* « a mestre de folh chapel de palho ! » Mais Nyrop pense qu'il ne s'agit pas de la même chose ici et explique « couvrir de chaume » par l'usage de joncher le carrelage des maisons, et donc de dissimuler, tromper, railler qui est un sens bien attesté pour *joncher*. Ajoutons que *couvrir* a souvent ce sens de « dissimuler » à lui seul. Nyrop propose de traduire par « mystifier, railler ».

533. *brocars*. De *broquer* « piquer ». Pointes, plaisanteries.

534. *sorner a voz coquars*. *Sorner, sorne, sornette,* « plaisanterie ». Quant à *coquars,* très souvent employé dans le théâtre de l'époque, il fait partie d'une série formée sur le nom *coq* et bien fournie en moyen français : *coquardeau, coquebert, coquebin, coquibus, coquidé, coquillard*... Il a le sens de « sot », « prétentieux », quelquefois de « mari trompé », voire « impuissant »; en jargon, il signifiait « imbécile ». Voir nos *Recherches sur le Testament de Fr. Villon,* 2e éd. t. I, pp. 160-161, et nos *Nouvelles Recherches sur Villon,* pp. 48-49, ainsi que la définition de Cotgrave : « Foolishly proud, saucie, presumptuous, malapert; undiscreetly peart, cocket, jollie, cheerfull; more bold than welcome, forward than wise ».

539. *flagorner*. Bavarder niaisement, dire à l'oreille. Le verbe est traduit par « to blab, tattle » dans le Dictionnaire de Cotgrave.

541. *par amor*. Formule figée : « s'il vous plaît », « je vous prie ».

543. *meshuy*. Voir Chr. Marchello-Nizia, *op. cit.*, p. 233, et E. Philipot, *Six Farces normandes*, pp. 36-37.

547. *sans le mien*. Sans tenir mon cerveau, sans m'atteindre. C'était, dans une malédiction, une manière d'en atténuer la portée et d'en éviter les conséquences pour celui qui parle. Cf. Holbrook, *op. cit.*, pp. 106-108.

552. *Quel bas?* L'auteur joue sur le mot *bas* « parler à voix basse » ou dans un lieu bas, et laisse attendre une équivoque obscène, *bas* désignant les parties naturelles de la femme, témoin, entre mille exemples, ces vers du *Monologue des Perruques* (127-128) de G. Coquillart (*éd. citée*, p. 323) :

Femme pour embourer son bas
Perdra plainement la grant messe !

554. *Bave,* « bavardage ». Voir la note du vers 62.

563. *Aga,* « impératif abrégé d'*agarder,* forme dialectale de *regarder,* a été selon Moisy très usitée en Normandie. Cependant, elle a dû pénétrer dans le langage parisien : Th. de Bèze en dit dans son traité latin de la prononciation française : « Parisiensibus vulgo reliquitur » (H. Lewicka, *op. cit.*, p. 90).

587. *bon gré saint George*. Sur saint Georges, patron de la chevalerie, voir nos *Recherches sur le Testament de Fr. Villon,* t. II,

pp. 388-392. On l'invoquait souvent dans des jurons pour exprimer la colère.

588. *On le vous forge!* Cette hémistiche est difficile à comprendre. Ou bien Guillemette le prononce en aparté : « On est en train de fabriquer le drap que vous me demandez. » C'était l'avis d'E. Philipot qui traduisait : « Sois tranquille, mon vieux, on te le fabrique. Compte là-dessus », et pour qui *le* représentait *le drap*, mais pas nécessairement, car c'était une locution toute faite servant à éconduire sommairement quelqu'un. Ou bien Guillemette s'adresse à Guillaume : « On vous raconte des histoires » ; elle feint de croire qu'on s'est moqué du drapier. *Forger* était lié à l'idée de tromperie, témoin les locutions employées dans les *Cent Nouvelles nouvelles, éd. citée*, p. 617 : *forger bien la matere*, « tromper quelqu'un par des mensonges », *forger le médecin*, « faire la leçon ».

590. *Il est bien taillé*, « il est en passe de, il est en bel état pour... ». Locution fréquente au XVe siècle ; voir *Cent Nouvelles nouvelles*, p. 640, Arnoul Gréban, *Le Mystère de la Passion*, vers 23370-23371, Pierre de Hauteville, *La Confession et Testament...*, vers 713.

591. *il ne hobe.* Il ne bouge pas. Villon a aussi utilisé ce verbe qu'il fait rimer avec *robes*, *Macrobes* et *derobes* (*Testament*, huitain CXLV). Mot encore bien vivant au XVIe siècle.

594. *de blanc.* Il ne revêtira plus que le linceul blanc des morts. Mais la robe blanche était aussi celle de l'innocence, et aussi de la fausse innocence, de la tromperie.

595. *les piés devant.* Expression identique dans les *Cent Nouvelles nouvelles, éd. cit.*, p. 220 : « Par la mort bieu, beau pere, vous ne saulterez a jamais d'icy sinon les piez devant, se vous ne confessez vérité », c.-à-d. « vous ne sortirez que mort ».

601. *en sanglante estraine.* L'adjectif *sanglant* exprime l'exécration et équivaut à notre *maudit ;* il était employé dans des locutions comme *sanglante estrainne*, *sanglante forte fièvre*, *sanglant mal an*, *sanglante sepmaine...* qui appelaient le malheur sur quelqu'un dans des malédictions grossières. Voir A. Gréban, *Le Mystère de la Passion*, vers 10806, 12210, 14305, 20996..., et le glossaire d'O. Jodogne, t. II, p. 436.

604. *onques que*, « toutes les fois que ». Tour rare.

606. *eaue rose*, parfum souvent utilisé pour faire revenir à la vie les amoureux pâmés.

608. *Trut.* Interjection exprimant dédain et désinvolture. Voir Adam de la Halle, *Le Jeu de la Feuillée*, vers 81.

611. Holbrook a fait remarquer qu'ici, pour la première et seule fois, Pathelin tutoie Guillemette ; de même, il tutoie le drapier dans son délire (vers 862, 943, 955). Le drapier et Pathelin, comme le juge, tutoient toujours le berger. Le drapier tutoie Pathelin en

aparté au vers 1501. Le tutoiement n'est donc pas capricieux, comme dans les autres textes du Moyen Âge.

613. *ses* (ces) *gens noirs* sont des diables, mais aussi des moines noirs de Cluny.

613-614. *Marmara, carimari, carimara!* Formule magique destinée à chasser les démons.

615. *Amenez les moy.* Dans son délire, Pathelin dit-il le contraire de ce qu'il veut ? C'est plutôt une graphie fréquente d'*Emmenez-les-moi*, la prononciation étant identique. On appelait *amurées* (emmurées) un monastère de femmes cloîtrées à Rouen.

619. *ung moisne noir.* S'agit-il du moine bourru, sorte de père fouettard, que Pathelin veut exorciser (cf. W. Deonna, *De Telesphore au moine bourru. Dieux, génies et démons encapuchonnés*, Bruxelles, Latomus, 1951 et P. Guiraud, *Les Structures étymologiques du lexique français*, p. 31), et qu'on retrouve dans le *Dom Juan* de Molière, III, 1 (éd. de 1683) :
SGANARELLE. — Voilà un homme que j'aurai bien de la peine à convertir. Et dites-moi un peu : le Moine bourru, qu'en croyez-vous ? eh !
DOM JUAN. — La peste soit du fat !
SGANARELLE. — Et voilà ce que je ne puis souffrir ; car il n'y a rien de plus vrai que le Moine bourru, et je me ferais pendre pour celui-là...
Pour Furetière, le moine bourru est un lutin qui, dans la croyance du peuple, court les rues aux avents de Noël et qui fait des cris effroyables.

620. *une estolle.* On passait une étole autour du cou des possédés pour les exorciser. Cf. Villon, *Le Testament*, vers 387-389, et R. T. Holbrook, *Exorcism with a Stole...*, dans *Modern Language Notes*, t. XIX, 1904, pp. 235-237, et t. XX, 1905, pp. 111-115.

621. *Au chat, au chat!* Animal diabolique dont Satan prenait souvent la forme. Voir notre dossier dans notre édition-traduction de la branche XII du *Roman de Renart*, Paris, Champion (à paraître). *Comment il monte !* Comme il grimpe au mur !

622. *n'av'ous pas.* Forme dialectale, anglo-normande, de *n'avez-vous pas...*

624. *Ces phisicïens.* Médecins. Ce mot, qui était en concurrence avec *mire*, a désigné à l'origine, aux XIIe et XIIIe siècles, des médecins experts et expérimentés, qui pratiquaient une médecine scientifique ; le paysan promu médecin, n'est qu'un *vilain mire*. Voir notre *Adam de la Halle à la recherche de lui-même...*, pp. 241-243.

625. *brouliz.* Ce mot, qui signifie « trouble, querelle » (comme notre *brouille*), a désigné, en ancien français, « un mélange de divers ingrédients, une drogue, une médecine ».

627. *comme de cire.* Ils me manient comme de la cire, ils travaillent en maîtres absolus.

en peut se comprendre soit « en cela » soit « avec moi ».

629. *pacïent.* Le mot a le sens de « malade » que nous avons encore dans les *patients* d'un médecin. Ce sens apparaît en 1370.

630. *a bon essïent,* « véritablement », « pour de bon », « sans plaisanter ». Voir notre *Cours sur la Chanson de Roland,* Paris, CDU, 1972, pp. 128-131.

631. *orains* est une manière, comme *naguère,* de marquer le passé proche. Cf. R. Martin et M. Wilmet, *op. cit.*, p. 195.

636. *maistre Jehan.* Appeler Guillaume maître Jean, c'est une manière de le traiter de niais, voire de mari trompé. Sur ce sens de *Jean, Jeanjean, Janot, Jenin...*, voir H. Lewicka, *op. cit.*, pp. 78-84, nos *Recherches sur le Testament...*, t. II, pp. 456-457, B. Rey-Flaud, *op. cit.*, pp. 183-184. C'est un nom typique de faux pédant et de charlatan. « Aussi, dit H. Lewicka, *op. cit.*, p. 93, la conjecture de Mme R. Lejeune qu'il s'agirait de Jehan d'Avis, médecin parisien connu vers 1460, tout en étant plausible, ne s'impose pas. »

639. *Cristère.* Clystère, lavement. L'altération des mots savants était fréquente dans les textes du XVe siècle. Est-elle destinée à faire rire ? On a *clisetere* dans le ms. 25467.

642. *becuz.* Pointus comme un bec. Selon O. Jodogne, *art. cit.*, p. 441, « Un médecin aurait fait passer pour des pilules trois morceaux noirs et pointus. Les pilules étant sphériques, Pathelin a dû se méprendre sur ces médicaments qui ne sont pointus que parce qu'ils sont... des suppositoires... Et voilà le comique de l'épisode. Sans aucun doute, au théâtre, Pathelin montrait les suppositoires qui lui restaient et qu'il décrit d'une façon précise, et le public s'esclaffait en apprenant qu'il avait pu se tromper d'orifice.

» L'auteur force le trait : ils m'ont gâté les mâchoires [...] ils m'ont fait tout rendre. »

643-644. *pillouëres-machouëres.* La diérèse *ou-ères,* qu'on trouve aussi chez Villon (*Testament,* vers 820), passe pour caractéristique des parlers de l'Ouest ; cf. H. Lewicka, *op. cit.*, pp. 88-89.

646. *tout rendre.* Plaisanterie dans la mesure où le mot, qui signifie ici « vomir », sera repris par Guillaume qui demande à Pathelin de lui *rendre* (payer) l'argent qu'il lui doit (vers 649).

656. *Et mon orine.* Sur l'examen de l'urine pour déterminer la maladie, voir la branche X du *Roman de Renart* et le *Jeu de la Feuillée,* vers 228-270. C'était devenu un motif comique, que reprennent les poètes. Cf. Charles d'Orléans, Rondeau CLX : *Pour Dieu, laissez voir vostre orine, / On vous trouvera medecine ;* et Pierre de Hauteville, *La Confession et Testament...*, vers 1024-1026 : *D'allegier n'en vois point de signe, / Ains, a bien juger mon orine, / Je ne la feray pas trop longue.*

658. *quoy qu'il demeure. Il* étant impersonnel, il faut comprendre : « quoi que cela tarde », « même si cela doit durer, prendre du temps ».

673-674. *rude-cuide.* Rime propre à l'Ouest et à la Normandie.

687. *en bon memoire.* Le mot *memoire,* au sens de « faculté de se souvenir » est souvent masculin au Moyen Âge.

690. *gloser,* « conclure ». Voir Coquillart, *Monologue Coquillart,* vers 317-319 : *J'ouyz ung bruit que on demenoit,/Dont incontinent je glosay/Que s'estoit monsieur qui venoit.*

693. *tout en presence,* « ici même ».

704-731. Ce monologue du drapier est comique en lui-même par les fluctuations du drapier et par son caractère parodique : il reprend les débats des monologues amoureux.

710. *me depiece,* « met en pièces ».

713. *il ne se peult joindre.* Mot à mot : « cela ne peut concorder » (qu'il soit maintenant au lit, en proie au délire, et qu'il ait acheté du drap) ; plus familièrement, « cela ne colle pas ».

714. Sur la représentation de la mort sous la forme d'un squelette ou d'un corps pourri qui attaque et entraîne les vivants, voir I. Siciliano, *François Villon et les thèmes poétiques du Moyen Âge,* nouveau tirage, Paris, 1967 ; E. DuBruck, *The Theme of Death in French Poetry of the Middle Ages and the Renaissance,* La Haye, 1964 ; Ph. Ariès, *L'Homme devant la mort,* Paris, 1977, Chr. Martineau-Génieys, *Le Thème de la mort dans la poésie française de 1450 à 1550,* Paris, 1978.

720. *donge.* Cette forme de subjonctif présent du verbe *donner* appartient aux dialectes de l'Ouest. Cf. A. Lanly, *Morphologie historique des verbes français,* Paris, Bordas, 1977, p. 126.

729. *se je soye. Que je scoy* dans le manuscrit La Vallière. C'est la formule qui figure au vers 916 du *Testament* de Villon.

734. *grumelant.* Ce verbe, qui est un diminutif de *grommer,* formé sur le moyen néerlandais *grommen,* présente en ancien français les deux formes, *grommeler,* qui a survécu, et *grumeler.*

735. *resver.* Ce verbe, qui signifiait en ancien français « rôder », « délirer » (sans doute d'une forme *re-ex-vagare*), s'est ensuite substitué à *songer* pour désigner les visions du sommeil. Voir G. Gougenheim, *Les Mots français,* t. I, p. 139-144.
On a *doye* et non *poye* dans l'édition de Levet.

737. On peut comprendre aussi : « Le voici maintenant à point ! » (puisqu'il ne sait plus où il en est).

738. *s'il reviendra point.* « En ce qui concerne *pas, point* et *mie,* ils sont quelquefois employés sans *ne,* dès le XIIIe siècle et pendant longtemps ; le rôle de ces adverbes est de souligner la mise en

question de l'idée exprimée dans la proposition ; la plupart de leurs emplois se rencontrent en propositions directes ou indirectes : cela semble correspondre aux constructions interro-négatives modernes, mais en fait, en moyen français, on peut arriver à deux effets de sens opposé : ce type de construction peut laisser prévoir soit une réponse positive... soit une réponse positive ou négative » (Chr. Marchello-Nizia, *op. cit.*, p. 244).

740. *freloire.* Mot d'argot emprunté au flamand ou à l'allemand *verloren* « perdu, fichu ».

742. *a bonne forge.* A mettre en rapport avec le verbe *forger,* « inventer, fabriquer, préparer une ruse ».

743. *mescrëant.* Jeu de mots sur *croire* et son contraire *mescroire,* puisque *croire,* c'est 1) avoir la foi ; 2) faire crédit ; le *mescreant* est un incroyant et un créancier impitoyable.

745. *monstier* (moustier) est la forme de l'Imprimé, que nous n'avons pas à corriger. Voir A. Vincent, *Toponymie de la France,* Bruxelles, 1937, p. 333, les formes *Monstiers, Monthier, Le Montier,* etc.

746. *brutier.* Selon A. Thomas, « boucher », et dans le *Dictionnaire* d'E. Huguet, t. II, p. 18, « oiseau de proie impropre à être dressé pour la chasse ». Au total, selon O. Jodogne, *art. cit.,* p. 438, la notion très vague de « propre à rien ». *Or, ort,* « sale », « répugnant ».

748. *Avoy.* Cette interjection peut être rendue par « fi ! », « oh ! par exemple ! », « ah ! ne dites pas cela », « pas un mot de plus ». Voir L. Foulet, *Glossary of the First Continuation* (de Perceval), Philadelphie, 1955, p. 28.

752. De nouveau, l'auteur joue sur les mots, puisque *soi tenir* signifie « se retenir », et qu'au vers précédent *soi tenir fort* a le sens d' « être certain ».

754. *par le saint soleil.* Dans *Les Évangiles des Quenouilles,* texte contemporain de notre farce, le soleil est même assimilé à une divinité : « Qui du soleil veut estre servy, sy lui tourne le dos. Car il ne voeult estre regardé a plein du pecheur ; et se autrement fait, tout moustre son courrouz » ; aussi ne doit-on pas pisser contre le soleil (III, 1 ; III, 21), de même qu'on ne doit pas le faire contre un lieu saint (église, monastère ou cimetière, III, 3) sous peine de maladies. Ce culte rendu aux astres était déjà dénoncé par saint Éloi dans son *Sermon sur les superstitions :* « Que personne n'appelle son maître le soleil ou la lune, ou ne jure par eux ». Voir P. Sébillot, *Le Folklore de France,* Paris, 1904, t. I, p. 56. Sur *Les Évangiles des Quenouilles,* voir, outre le livre cité de M. Jeay (note du vers 369) et son édition, la thèse d'Anne Paupert-Bouchez, *Recherches sur les Évangiles des Quenouilles* (t. I. édition ; t. II, études ; t. III, notes et annexes), soutenue devant l'Université de la Sorbonne nouvelle le 13 janvier 1986 et déposé à la Bibliothèque de la Sorbonne.

755. *qui qu'en grousse*. Du verbe *groucir*, « gronder », « grogner », « murmurer ».

756. *cest advocat d'eau doulce*. Sans doute plaisanterie du même type que « marin d'eau douce » ou que « médecin d'eau douce », mauvais médecin qui ne sait que prescrire de l'eau claire (cf. K. Kasprzyk, *Un exemple de comique subversif : l'emploi du proverbe dans les Nouvelles Récréations de B. des Périers*, dans *Cahiers de Varsovie*, t. VIII, 1981, p. 224). L'avocat d'eau douce est donc un mauvais avocat qui ne plaide que les causes faciles.

757. *retraieur de rentes*. Voir la note du vers 199.

760. *tromperre*. Cas-sujet de *trompeeur*, trompeur.

765. *rïace*. Personne qui ne pense qu'à rire, ou qui rit mal à propos. Le suffixe *-ace* était très utilisé en Normandie. Le Moyen Age employait aussi les mots de *rieur* et de *riard*. Voir H. Lewicka, *op. cit.*, p.90, et E. Philipot, *art. cit.*, qui donne l'expression de chat *jouasse*, en breton, « encombrant à force de cabrioles ».

768. *qu'on s'en fouÿst*. Déjà emploi moderne de la langue familière de *on* au sens de « nous ».

769. *tresrebarbatif*. Le mot *rebarbatif*, attesté dès 1360, avait encore une tonalité argotique. Il appartenait à l'argot des étudiants et venait de *rebarber*, « tenir tête à quelqu'un, barbe contre barbe ».

770. *cest advocat potatif*. Jeu sur ce mot *potatif* qui renvoie à la fois à *potare* « boire », donc « aviné », et à *putatif*, donc « supposé ». Selon B. Roy, dans *Tréteaux*, t. II, mai 1980, pp. 1-7, *portatif*, devenu *potatif* par l'amuïssement de l'*r* implosif intérieur (cf. Chr. Marchello-Nizia, *op. cit.*, p. 83, et M. Pope, *From Latin to Modern French*, Manchester, 1934, § 396 et § 563) renverrait à ces *livres portatifs*, de format réduit dans lesquels on ne copiait que les *initia* des psaumes, hymnes et antiennes, où les leçons étaient réduites à quelques lignes. Pathelin serait donc un avocat de modèle réduit, raté. Rabelais (*Pantagruel*, ch. VII) met en rapport *portatif* avec *potingues*. Voir aussi un poème de Sainte-Marthe : *D'un evesque portatif :*

> Monsieur l'evesque portatif,
> Oster un R vous fauldra,
> Puis si le nom est potatif,
> C'est ce que mieux vous conviendra.

771. *a trois leçons et trois psëaulmes*. Il s'agit, selon B. Roy, des matines du petit office de la Vierge : « Cet office, dont les origines remontent au Xe siècle, est un ensemble de prières organisé sur le modèle de l'office canonique mais plus court. »

774. *ung blanc*, désigne une petite pièce d'argent, méprisée par rapport aux monnaies d'or. On ne retiendra pas l'hypothèse de R. T. Holbrook, selon qui l'expression « paraît indiquer l'existence d'une secte d'hérétiques ou d'une faction qui se vêtait de blanc ou

avait un insigne blanc » (*Étude sur Pathelin*, p. 91, n. 2.) J. Wathelet-Willem (*Un blanc prenable*, dans les *Mélanges André Lanly*, Nancy, 1980, pp. 385-391) a eu raison de comprendre : « ... une somme, si minime soit-elle, serait toujours bonne à prendre », et de proposer un double sens, eu égard au sens argotique de *blanc* « niais » : « ... un niais n'a que ce qu'il mérite quand il se fait rouler ». Voir aussi H. Kuen, *Was ist ein « Blanc prenable »* (*Pathelin*, 774) ? dans *Philologica Romanica*, Munich, 1976, pp. 289-293.

782. *vous rïez*. Guillemette est prise de fou rire.

789. *fatroulle*. Bafouille. A rapprocher de *fatras* et *fatrasie ;* cf. L. Porter, *La Fatrasie et le fatras. Essai sur la poésie irrationnelle en France au Moyen Age*, Genève, Droz, 1960.

790. *barbouille*. Baragouine, bredouille. Voir P. Guiraud, *Les Structures étymologiques du lexique français*, Paris, Larousse, 1967, pp. 81 et sq.

792. *je ris et pleure*. C'est le fameux *Je ris en pleurs* de Villon, un thème familier à cette génération. Voir notre *François Villon, Poésies*, Paris, Imprimerie nationale, 1984, pp. 33-34.

797. *verve*. Au Moyen Age, « fantaisie, fougue, caprice qui s'expriment par des propos abondants et désordonnés, par des bavardages ». Voir G. Coquillart, *Droits Nouveaux*, vers 1380-1383 :

> Noz grans gentilz hommes mondains,
> Volaiges, estourditz, legiers,
> Esservelez comme beaulx dains,
> Qui ont la verve et sont soubdains...

802. Pathelin commence à délirer. Pour Mme Lejeune, il s'agit de vers argotiques. *Guiternes*, guitares, est une forme du mot très répandue au Moyen Age.

803. *a coup*. Sur-le-champ.

806. *l'abbé d'Iverneaux*. Il existait une abbaye d'Iverneaux, maison de religieux augustins, près de Lésigny, non loin de Brie-Comte-Robert, et qui paraît avoir été mal tenue. Mais il s'agit sans doute d'une abbaye facétieuse, par rapprochement avec *hivernal*, l'hiver et la froidure signifiant la « dèche », la « purée ». On rencontre un abbé de Froictz Vaulx ou de Frévaux dans la *Farce joyeuse des galans et du monde*, le *Monologue des sots joyeux de la nouvelle bande, le Prince des Sots* de Gringore, *Les sots ecclésiastiques...* Voir Helina Lewicka, *op. cit.*, p. 93, et R. Lejeune, *art. cité*, pp. 495-496.

807. *compere*. Le parrain par rapport à la marraine et à la mère de l'enfant.

810. *balvernes*. Forme de *balivernes*. Sur l'origine du mot, voir P. Guiraud, *op. cit.*, pp. 13-14.

812. Maintenant Guillaume accepte n'importe quelle forme de paiement alors qu'il avait été alléché par l'or de Pathelin.

817-818. Jeu sur les sonorités de *mesprendre*, *rendre* et *pendre*.

827. *trestout forcené*. Ce vers explique le précédent : Guillaume, selon la femme de Pathelin, est fou à lier.

830-831. Faire le signe de croix, dire le benedicite étaient une manière d'exorciser la folie qui passait pour une possession démoniaque.

833. *Quel malade !* Guillaume est-il convaincu par l'agitation de Pathelin, ou bien pense-t-il que Pathelin feint d'être malade ?

834-841. Texte en limousin qu'on peut traduire ainsi : « Mère de Dieu la couronnée, / par ma foi, je veux m'en aller, / je renie Dieu, outre-mer. / Ventre de Dieu, je dis flûte ! / Celui-là prend et rien ne donne. / Ne carillonne pas, fais ton somme ! / Qu'il ne me parle pas de l'argent ! / Avez-vous compris, cher cousin ? »

845. *gergonner*. Jargonner. *Jargon*, *gargon* (d'une racine *garg-* qu'on retrouve dans *gargate* « gosier, gorge » et *gargoter* « faire du bruit avec la gorge » pour manger ou pour parler) signifie : 1) gazouillement ; 2) langage difficile à comprendre, souvent particulier à un groupe ; 3) langage des malfaiteurs. Sur ce nom, on a formé les verbes *jargonner (gergonner)* et *jargouiller*.

847. *atout*. Avec. Formé de *a*(avec) et de *tout* qui s'accordait à l'origine avec le nom qui suivait. Si le mot était souvent invariable, les formes fléchies ne sont pas rares en moyen français ; sans doute est-ce la preuve que ce terme n'était pas senti comme un tout. « Pour marquer l'accompagnement, dans toutes ses nuances, on trouve aussi bien *a*, *o*, *atout*, *otout*, *avec*. Certes, des relevés précis ont montré qu'il existe des régions où l'une ou l'autre de ces prépositions est employée de préférence aux autres. Il n'en reste pas moins que, dans la majorité des textes, les différentes prépositions coexistent, même si l'une d'elles affirme assez souvent sa prédominance... *Atout* n'est qu'un terme d'appoint, même dans les textes où il est le plus fréquent. » (Chr. Marchello-Nizia, *op. cit.*, p. 280.)

848-855. Comme O. Jodogne, nous avons traduit ce passage en picard (en fait, très peu picardisé) que le drapier lui-même semble avoir compris (vers 858-859).

849. *crapaudaille*. Se rappeler que le crapaud passait au Moyen Âge pour un animal démoniaque.

853. *presterie*, nid de prêtres. Peut-être avec un jeu sur *prêter*, vendre à crédit.

859. *cocardie*, folie, bêtise. Formé sur *coquard ;* voir note du vers 534.

862. *caresme prenant*. Ce mot, qui a désigné le mardi gras après lequel on prenait le carême, s'est ensuite appliqué à des personnes

masquées pendant le carnaval et à des personnes ridicules. *Trencher du caresme prenant* signifiait « faire le fanfaron », « se donner des airs ».

863-875. Passage en flamand, dont la traduction par le linguiste J. Vercouillie a été reprise par L. E. Chevaldin, *Les Jargons de la Farce de Pathelin,* 1903, et la plupart des traducteurs et éditeurs : « Hélas ! cher brave homme, / je connais heureusement plus d'un livre. / Henri, oh ! Henri, ah ! viens dormir. / Je vais être bien armé. / Alerte, alerte, trouvez des bâtons ! / Course, course, une nonne ligotée ! Des distiques garnissent ces vers, / mais grand festoiement épanouit le cœur. / Ah ! attendez un instant : il vient une tournée de rasades. / Çà, à boire, je vous en prie. / Viens seulement, regarde seulement un don de Dieu, / et qu'on m'y mette un peu d'eau ! / Différez un instant à cause du frimas. »

876. *sire Thomas.* Faut-il mettre un nom derrière ce *sire Thomas,* comme le font R. Lejeune (Thomas de Courcelles, *art. cité,* p. 513) ou D. Smith (Thomas de Canterbury ou Thomas de Cantiloupe) ? L'ensemble ne vise qu'à poser un personnage de prêtre. La leçon du ms. La Vallière, qui donne *misire Thomas,* serait meilleure, car la dénomination du prêtre est traditionnellement *messire.*

886-899. Passage en normand, « d'une justesse frappante. L'auteur ne s'est pas contenté d'y accumuler quelques traits bien typiques, tel le *k* au lieu du *š* français, *ou* correspondant à *eu, e* à *oi.* Il emploie une forme bien normande comme *foureux* pour *foireux,* il scande *mïel* » (H. Lewicka, *op. cit.,* p. 91).

886. *Renouart au tiné !* Personnage héroï-comique du cycle de Guillaume d'Orange, géant sarrasin converti qui écrase ses ennemis de son *tinel,* une massue faite de la barre de bois qui servait à porter les seaux d'eau. Voir J. Wathelet-Willem, *Quelle est l'origine du tinel de Rainouard ?* dans le *Boletin de la Real Academia de Buenas Letras de Barcelona,* t. XXXI, 1965, pp. 355-364.

890. *Gabrïel.* C'est l'Ange de l'Annonciation à la Vierge Marie, et aussi l'Ange qui intervient dans *La Chanson de Roland.*

893. *escarbot,* scarabée, bousier. Faut-il y voir un jeu comique sur *escar beau* « une belle plaisanterie », comme le pense J.-Cl. Aubailly ?

894. *le mau saint Garbot,* la dysenterie. Irrités contre leur évêque, Gerbold, qu'ils jugeaient trop sévère, les habitants de Bayeux se rebellèrent, et furent punis par une terrible dysenterie qui les décima. Loin de se repentir, ils chassèrent leur évêque qui jeta dans une rivière sa bague et jura de ne pas revenir tant qu'on ne la lui aurait pas rapportée. Les Bayeusains finirent par se repentir et, l'un d'eux ayant retrouvé la bague dans le ventre d'un poisson, ils allèrent chercher Gerbold qui, par ses supplications, fit cesser le mal.

896. *Jehan du Quemin.* Personnage proverbial en Normandie, Jean Tout-le-Monde. Selon L. Cons et R. Lejeune, *art. cité*, pp. 514-515, abbé de la Croix-Saint-Leufroy, monastère à quelques lieues d'Évreux, et avocat en cour d'Église qui figura, comme Thomas de Courcelles, comme juge assesseur dans le procès de condamnation de Jeanne d'Arc. Mais M. Roques, dans son compte rendu du livre de L. Cons, a fait justice de cette hypothèse, en rapprochant l'expression du vers 198 des *Menus Propos :*

On a exclu, pour proposer
Devant le roy, Jehan du Chemin...

898. *saint Miquiel.* Saint Michel, un des patrons de la chevalerie, qui affronte le démon, et qui intervient aussi dans *La Chanson de Roland.*

912-918. Selon Michel Rousse, « il y a parodie d'une façon de parler avec des intonations fortes sur la finale. Ce pourrait être du français parlé en Bretagne, tel qu'on le trouvait parodié dans le *Privilège aux Bretons.* Voilà ce que me semblent indiquer ces finales de verbes au futur, l'absence de *e* final à *trichery* et *trompery*, l'emploi d'un verbe au pluriel pour reprendre *ton fait*, de même que *sont il ung asne.* Pour la prononciation sans *e* final, voir à la fin du passage en breton *courteisy. Alast* dans cette perspective serait aussi une prononciation patoise appuyée de *hélas*, et *le jour quant* est une faute de langue voulue par l'auteur. Dans cette séquence, Pathelin parlerait donc le français tel que le parlent les Bretons et le breton, ce qui expliquerait le chevauchement des deux langues dans la même tirade, et serait justifié ensuite par la remarque de Guillemette. A l'appui de cette imitation du français des Bretons, il faudrait mettre encore l'appellation « mon cousin ». De nos jours encore les Bretons ont la réputation d'être tous cousins entre eux ».

913. *Alast! Alast!* Graphie de *Hélas! hélas!* ou bien subjonctif imparfait du verbe *aller :* « Plût au ciel qu'il s'en allât ! »

919-920. Sans doute du breton, traduit ainsi par J. Loth et Villemarqué : « Puisses-tu être aux diables corps et âme ! »

921-930. Trad. de J. Loth : « Puissiez-vous avoir mauvaise nuit, des saisissements / par suite de l'incendie de vos biens ! / Je vous souhaiterai à tous sans exception, / tous tant que vous êtes ici, / que vous rendiez une pierre de vos entrailles en faisant du bruit et des gémissements, / au point que vous fassiez pitié à tous les chiens / qui meurent complètement de faim. / Tu auras l'aumône d'un cercueil / et beaucoup de tendresse et de civilité. »

932-935. L'auteur joue ici sur des verbes qui marquent le bruit que l'on fait en parlant. *Guergouille (guargouille, jargouille)* c'est le bruit de l'eau tombant d'une gargouille. Ce mot, d'origine populaire, est formé sur *garg-* « gorge » (cf. *gargate*) et *goule* « gueule ». *Barbouille, barbote, barbelote...* font partie d'une série de verbes formés sur un radical onomatopéique *barb-* « parler en bredouillant », « faire un bruit de bouche ». Ensuite, ces verbes ont perdu le sens de « bredouiller », *barboter* ne signifiant plus que « s'agiter, marcher dans l'eau, la boue », et *barbouiller* « couvrir d'une substance salissante », « peindre grossièrement ».

943-956. Ce passage est écrit en une sorte de lorrain, dont Chevaldin a fait cette traduction : « Hé ! par saint Gangulphe, tu t'abuses ! / Qu'il aille à Dieu, couille de Lorraine, / Dieu te mette en vilaine semaine ! / Tu ne vaux pas un vieux con. / Va, maudite hideuse savate ! / Va foutre, va, maudit paillard ! / Tu joues trop au fortiche avec moi. / Morbleu, çà, viens-t'en boire / et passe-moi ce grain de poivre, / car vraiment il le mangera. Eh ! par saint Georges, il boira / à ta santé. Que veux-tu que je te dise ? / Dis, viens-tu de Picardie ? Par saint Jacques, ils ne s'étonnent de rien. » Ou encore : « Les Jacques ne s'étonnent de rien. »

943. *par saint Gigon*. Selon Holbrook, corruption wallonne de Gengoulf. Ou peut-être de Gorgon, saint de la *Légende dorée*, torturé sur une grille rougie, sans qu'il sentît aucun mal.

945. *en bote sepmaine*. Équivalent lorrain d'*en male semaine*.

946. *nate*. Voir A. Henry, *Études de syntaxe expressive, Ancien français et français moderne*, Paris-Bruxelles, 1960, et V. Väänänen, *A. Fr. nate que nate, femme que femme, lat. mulier quae mulier*, dans *Recherches et récréations latino-romanes*, Naples, 1981, pp. 305-315.

949. *Tu me refais trop le gaillart*. Sur les tours comme *faire le malin*, voir V. Väänänen, *op. cit.*, pp. 217-248.

951. *stan :* (reflète une prononciation dialectale nasalisée) « ce ». *Poire :* poire ou poivre.

953. *bura*. Futur de *boire*. « Le croisement de *buvra* avec *boira* a pu amener la création d'une forme *bura* qui se rencontre avec les autres jusqu'au XVIIe siècle... Oudin (1632) : « Pour *beuray* et *buray* au lieu de *boiray*, un homme qui parle nettement ne s'en servira jamais, ce sont des mots tirez du patois de Paris » — et Ménage (1673) : « Les Badaux de Paris disent *buray*... il faut dire *boiray* » (P. Fouché, *Le Verbe français*, p. 395).

957-968. Passage en latin médiéval correct, que nous proposons de traduire ainsi : « Bonjour à vous, / maître bien aimé / père très vénérable. Comment t'y prends-tu ? Quoi de neuf ? / A Paris il n'y a pas d'œufs. / Que veut ce marchand ? / Qu'il se dise que ce trompeur, celui qui est couché dans le lit, / veut lui donner, s'il lui plaît, / de l'oie à manger. / Si elle est bonne à déguster, / demande-lui sans tarder. »

960. *brulis*. A mettre en rapport avec *brûler* ou *brouiller*.

971-972. On peut comprendre aussi : « Voyez-vous comme il rend hommage à la théologie. » Quant à la rime *escume-estime*, elle n'est pas rare au XVe siècle. Voir O. Jodogne, *art. cité*. Guillemette veut faire croire au drapier que le latin de Pathelin était fait de propos de dévotion.

973. *son humanité*. Faut-il y voir une comparaison avec le Christ ?

985. Il peut s'agir aussi du Paradis.

988. *esbaubely*. Forme dérivée de *esbaubi*, issu, par changement de préfixe, de *abaubir* « étonner », au sens propre « rendre bègue », formé sur l'adjectif *baube* « bègue », du latin *balbus*.

989. *en lieu de ly*. Confusion constante de *ly* et *luy*, qui est largement populaire. Cf. H. Lewicka, *op. cit.*, p. 89.

995. On peut traduire aussi : « Vous ai-je bien appris votre leçon (ou la comédie) ? »

996. *le beau Guillaume*. Le nom *Guillaume* a ici le sens de « sot », « corniaud ». Voir notre note sur *Guillaume*, aux vers 101 et 389.

997. *dessoubz son hëaume*, casque. L'expression, qui est du registre familier, signifie : « avoir dans l'esprit ».

998. *conclusïons*. Idées, arguments. C'est un terme technique de la scolastique et de la procédure.

1001. *Comment il a esté mouché*. Locution populaire : « remettre vertement à sa place ».

1007. *me paist de lobes*, me nourrit de tromperies. Le mot *lobe* (du germ. *lob* « louange ») désigne un discours flatteur, et partant la ruse, la tromperie. Jean de Meun joue sur ce mot dans le discours de Faux Semblant (éd. F. Lecoy, vers 11520-11525) :

> Mes je, qui vest ma simple robe,
> lobant lobez et lobeürs,
> robe robez et robeeurs.
> Par ma lobe entas et amasse
> grant tresor en tas et en masse.

1010. *meschans*. Le sens premier, que nous avons ici, est celui de « malchanceux », « malheureux ». On passe aisément de l'idée de « malheureux » à celle de « méchant », comme le montre le double sens de *misérable* et parfois de *malheureux*. Cf. G. Gougenheim, *op. cit.*, I, pp. 276-277.

1012. *me cabusent*, me roulent, me trompent. Sur le préfixe péjoratif *ca-* dans des mots comme *cabosse, cahute, cafouiller...*, voir Cl. Brunel, *Le préfixe* ca- *en picard*, dans *Études romanes dédiées à M. Roques*, pp. 119-130, et P. Guiraud, *op. cit.*, pp. 15-16.

1015. *il en viendra au pié l'abbé*. Locution signifiant « venir se jeter aux pieds de l'abbé pour demander grâce » ; de là, « forcer quelqu'un à comparaître en justice ». P. Lemercier, *art. cité*, p. 214, a conclu, de l'emploi de cette locution, que l'action de la farce se déroulait dans une juridiction ecclésiastique. Voir aussi R. Lejeune, *art. cité*, p. 517.

1019. *merdoulx.* Au lieu de *eu,* qui vient de *o* fermé en syllabe libre, on a *ou* (de là la rime *merdoulx / doulx*) C'est un fait fréquent en Normandie et dans une partie de la Picardie. Cf. P. Fouché, *Phonétique historique du français,* t. II, Paris, 1958, p. 206.

1022. *vestu de roié.* Sergent à verge, i.e. huissier, qui avait originairement le pouvoir d'instrumenter dans la ville et les faubourgs de Paris, par préférence aux sergents à cheval qui instrumentaient hors de Paris. Cf. P. Lemercier, *art. cit.*, p. 224. Voir les remarques d'Ét. Pasquier dans ses *Recherches de la France,* 1607, livre VIII, chap. LIX : « Je ne veux pas oublier aussi qu'en ce temps-là les sergents, exploitant, portaient leurs manteaux bigarrés (ainsi que nous recueillons de ces mots : ne sai quel vetu de roye) et encore étaient tenus de porter leurs verges ; et c'est ce que le berger veut dire quand il parle d'un fouet sans corde. De cela nous pouvons apprendre que ce n'est sans raison que l'on appelait les sergents de pied sergents à verge : coutume que l'on voulut faire revivre par l'édit d'Orléans, fait à la postulation des trois états, en l'an 1560, quand par article exprès on ordonna que fussions contraints d'obéir aux commandements d'un sergent et de le suivre voire en prison, lorsqu'il nous toucherait de sa verge. »

1028. *adjournerie,* « ajournement », « assignation à comparaître devant le tribunal ».

1032. *a... de relevee,* « à telle heure de l'après-midi ». Le berger feint d'avoir oublié l'heure. Selon Fr. Lehoux (*Le Bourg-Saint-Germain-des-Prés depuis son origine jusqu'à la fin de la guerre de Cent Ans,* thèse de doctorat ès lettres de Paris, 1951, p. 252), « Cette séance, dite de " relevée ", commençait après le principal repas qu'on prenait alors vers 10 heures du matin, elle se prolongeait jusqu'à trois heures de l'après-midi. »

1033-1034. *une grant levee... de boucler.* A l'origine, c'était la démonstration par laquelle les soldats romains exprimaient leur résistance aux volontés de leur général ; ensuite, démonstration d'opposition.

1035. *emboucler,* « attacher avec une boucle », « emprisonner », « empêcher de fuir ». Selon R. Lejeune, *Le Vocabulaire juridique de Pathelin...,* p. 189 : « La colère fait parler le jargon juridique au respectable drapier, car *emboucler* correspond à notre moderne *boucler* argotique, signifiant « emprisonner ».

1042. Le drapier commence à mêler l'affaire des draps (avec Pathelin) et l'abattage des brebis (avec le berger).

1053. *par saint Leu,* saint Loup, patron des bergers selon Holbrook ; mais pour R. Lejeune, *op. cit.*, p. 493, « Honoré dans toute la province ecclésiastique de Sens, mais particulièrement à Saint-Leu-d'Esserent, prieuré aux environs de Chantilly, " célèbre par son pèlerinage ", il guérissait de l'épilepsie. Le berger le sait très bien et le rappelle non sans malice au drapier bleu de colère qui confond l'affaire du drap dérobé et celle des moutons assommés. » Invoqué, en tout cas, contre les effets néfastes du loup (mort ou mutisme), pour protéger les enfants de la peur, pour guérir aussi une maladie de peau, semblable à des loups dévorants. Voir *Les Évangiles des Quenouilles,* et Éric von Kraemer, *Les Maladies désignées par des noms de saints,* dans *Societas Scientiarum fennica, Commentationes humanarum litterarum,* t. XV, 2.

1061. *appointeray.* Terme technique de la justice : « régler un appointement en justice », qui « était un règlement par lequel, avant de faire droit aux parties, le juge ordonne de produire par écrit ou de déposer les pièces sur le bureau » (Littré).

1073. *On me piquera en default.* L'emploi familier de *piquer* au sens de « pincer, prendre », apparaît dès le XIVe siècle. Le *default* est le manquement à une assignation donnée, le refus de comparaître.

1080. *pourtant se,* « même si », « bien que ».

1083. *entendeur.* Quelqu'un qui s'y entend, donc un malin. Même le berger joue avec les mots, puisqu'il reprend au vers 1084 le verbe *entendre* au sens de « comprendre ».

1092. *y,* à lui.

1095. *els,* forme dialectale pour *elles.*

1098. *ilz,* elles. Voir Chr. Marchello-Nizia, *op. cit.,* p. 175 : « Si l'emploi de *il* au féminin singulier est fort rare, au contraire *il/ilz* apparaît assez fréquemment au féminin pluriel ; dans certains textes, même, cette forme est la seule utilisée dans cet emploi [...] Devant l'ampleur de ce phénomène, Brunot conclut qu'il s'agit d'un fait trop général pour qu'on puisse le considérer simplement comme dialectal [...]. Pour G. Moignet... cette forme devait être considérée comme marquant simplement le pluriel, et non un genre particulier, comme désignant une personne de synthèse ».

La *clavelee,* ou encore *clavelade, claveau, clavin, rougeole, picote, variole du mouton,* est une maladie contagieuse du mouton, semblable à la variole, caractérisée par une éruption de pustules sur la peau et les muqueuses.

1117. *luy baillons l'avance. Baillier l'avance à quelqu'un,* c'était prendre de l'avance sur lui, prendre l'avantage sur quelqu'un, prendre quelqu'un de court, mystifier.

1124. *assoubz.* Selon Littré, « en termes de droit, *absoudre* et *acquitter* ne sont pas synonymes. Le tribunal absout une personne qui est reconnue coupable du délit à elle imputé, mais dont le délit n'est pas qualifié punissable par la loi. Il acquitte un accusé reconnu innocent ». R. Lejeune, *Le Vocabulaire juridique de Pathelin,* p. 191, a très bien commenté la scène : « Ce *distinguo* explique à merveille le cas du berger. Ce dernier n'est pas innocent de ce dont on l'accuse, et le flagrant délit l'accable. Comme il le dit lui-même (vers 1149-

1152), le drapier trouvera facilement dix témoins qui contre lui « desposeront ». Ainsi pas d'acquittement possible. Mais, par son astuce, Pathelin va s'arranger pour que le délit du berger (l'assommage des bêtes) ne tombe pas sous le coup de la loi : l'Agnelet, avec ses *bée!* répétés, passera pour fou — « un fou que l'on n'aurait jamais dû assigner en justice, à moins d'être fou soi-même ». La demande du drapier ne peut donc être prise en considération. Le berger est « absous », délié de toute obligation vis-à-vis du demandeur... »

1126. *en bel or a la couronne.* Le berger insiste pour la troisième fois sur sa richesse.

1131. *desclicquer,* « jouer de la langue comme d'une cliquette ». Le *decliqueur* était le « beau parleur ». Voir G. Coquillart, *Droits nouveaux,* v. 16.

1136. *cautelle.* Ce mot, d'usage courant au XVe siècle (voir les *Cent Nouvelles nouvelles*) au sens de « ruse », a, aujourd'hui, une tonalité littéraire, avec le sens de « prudence rusée ».

1138. *saint Mor.* Saint honoré en particulier à Saint-Maur-les-Fossés sur la Marne, au sud-est de Paris, dont les rhumatisants et les mendiants venaient vénérer la châsse. En outre, jeu avec le mot *mort.*

Thibault l'Aignelet. Surnom normal pour un berger, et comique dans la mesure où les deux mots (*Thibaud* est le nom du mari trompé, du niais), qui indiquent la candeur, contrastent avec le cynisme rusé du personnage. D'autre part, en 1454, un personnage dont parle Villon, Merbeuf, avait plaidé contre Lorens Laignelet. Celui-ci avait défendu Merbeuf, et obtenu gain de cause, dans un procès entre les mégissiers et les drapiers. Mais ensuite Merbeuf refusa de lui donner la houppelande promise pour le remercier de ses services, et Laignelet fut de surcroît condamné. Voir Pierre Champion, *François Villon, sa vie et son temps,* t. II. p. 321.

1139. *L'Aignelet, maint agneau de let.* Variation sur un autre nom propre. Manière, pour Pathelin, de manifester son éloquence et, pour l'auteur, de rivaliser avec les grands rhétoriqueurs.

1144. *pour tes dez et pour ta chandelle.* Dans les tavernes, quand on jouait aux dés, on payait une partie des frais d'éclairage; de là l'expression *le jeu n'en vaut pas la chandelle.*

1146-1147. Construction heurtée, à ponctuer peut-être de points de suspension, où l'interprétation de *sur piez* a prêté à discussion : Holbrook y voit avec raison une locution adverbiale (« sur-le-champ »).

1157. *rien quelconques.* Selon R. Martin et M. Wilmet, *op. cit.,* p. 107, § 191, « En phrase négative ou assimilée, *quelconques* = “ quel qu'il soit ” se postpose régulièrement au nom et tend dès ce moment vers une valeur adverbiale (“ du tout ” : noter la graphie en *s*) ».

1156. *oncques*. Sur la répartition des adverbes *ja, jamais onques*, voir Chr. Marchello-Nizia, *op. cit.*, pp. 246-248 : « Certains auteurs emploient *ne ja* avec le futur ou en système hypothétique, *ne jamais* avec le présent de l'indicatif, du subjonctif et avec l'impératif, *ne oncques* avec le passé de l'indicatif ; c'est le cas de Villon (dans le *Testament* et le *Lais*) : Jamais mal acquest ne prouffite (*Test.*, v. 1691). Dans *Pathelin, ne ja* accompagne deux fois le futur et une fois le subjonctif présent (v. 99), *ne onques* dix fois le passé de l'indicatif, *ne jamais* six fois le présent de l'indicatif ou du subjonctif et l'impératif, et une fois le futur (v. 593) ».

1160. *posicïons*, chefs d'accusation.

1166. *comparoir*. Verbe du langage juridique, attesté dès le XIIIe s., souvent dans des locutions figées, comme *refus de comparoir*, ou *tels et tels, comparant en leurs personnes*.

1175. *rompre leurs testes*. Voir Villon, *Testament*, vers 625-628 :

Pour ce, aimez tant que voudrez,
Suivez assemblees et festes,
En la fin ja mieux n'en vaudrez
Et n'y romperez que vos testes.

1176. *n'ysse*. Voir R.L. Wagner, *Les Vocabulaires français*, Paris, Didier, 1967 : « On enseigne qu'*issir* est sorti du lexique parce que la conjugaison de ce verbe présentait des difficultés. Or, à lire les textes d'ancien français, aucune gêne ne semble avoir restreint le fonctionnement de ce signe. Toutefois, ceux qui l'employaient à cette époque ne pouvaient le rattacher à rien. Il composait une famille à lui tout seul, présentant d'ailleurs cette particularité d'être inconstructible par dérivation. Les gens qui consultaient les devins pour connaître leur sort, l'avenir, *voyaient* en revanche que “ *sortir* ”, c'était tirer des osselets, les faire “ issir ” d'un récipient. C'est parmi eux que, comme un vulgarisme d'abord puis d'une manière habituelle, “ *sortir* ” doubla “ *issir* ”. Nous connaissons encore très mal l'histoire des emplois de ces deux verbes. Leur sort se décida vraisemblablement en moyen français. On continua d'écrire “ *issir* ”, quand depuis longtemps on ne le prononçait plus. »

1196. *a vostre mot*. L'expression, mise en relief par le rejet, a un double sens, *a* pouvant signifier « selon » (« selon vos désirs », « selon vos conditions ») ou « avec » (« avec votre mot », en vous répondant par *bée*). Voir S. Fleischman, *Language and Deceit in the Farce of Maistre Pathelin*, dans *Tréteaux*, vol. III, mai 1981, n° 1, pp. 22-23.

1199. *Nostre Dame de Boulongne*. En 1477, Louis XI fit hommage à la Vierge de la ville et du comté de Boulogne, entérinant une piété déjà très vive et largement répandue pour Notre-Dame de Boulogne. D'autre part, ce culte s'était très vite associé à l'idée de voyage, car la statue, qui était gardée à Boulogne-sur-mer, passait pour ne pas rester en place. Sans doute est-ce une manière de suggérer plaisamment que le juge, sujet à la bougeotte, ne siégera pas longtemps.

Mme R. Lejeune, *art. cité*, p. 495, rappelle que « depuis le début du XIVe siècle, on trouve une autre Notre-Dame-de-Boulogne tout aussi connue des Parisiens : celle de l'église que le roi Philippe IV fit construire à Menus-lès-Saint-Cloud, en souvenir de son pèlerinage à Boulogne-sur-Mer. Ce sanctuaire donna naissance au village qui prit le nom de Boulogne-sur-Seine. En 1469, un édit de Louis XI devait rendre officielle la dénomination " Bois de Boulogne " pour désigner la partie de la forêt de Rouvroy voisine du village. Notre-Dame-de-Boulogne près Paris était le siège d'une confrérie ; il y eut des prêches fameux dès 1429 et on y allait en pèlerinage — surtout pour remercier d'une grâce obtenue. C'est probablement pour cette raison que Pathelin l'invoque ».

1206. Pathelin apparaîtra ainsi comme un de ces praticiens qui suivent l'audience et auxquels il est d'usage de demander leur avis. Voir P. Lemercier, *art. cit.*, pp. 208-209.

1207. *moquin, moquat*. F. Lecoy a proposé de traduire par « à railleur, railleur et demi ! » (c.r. de G. Cohen, *Recueil de farces françaises inédites du XVe siècle*, 1949, dans *Romania*, t. LXXI, 1950, p. 527).

1211. *s'il ne pleut, il degoute*. Expression proverbiale, signifiant : « Si ce n'est pas la grande fortune, du moins on en retire quelque avantage. »

1212. *ung epinoche*, petit poisson, commun dans les rivières de France, pourvu d'épines dorsales ; de là, un objet sans valeur ; *épinocher*, c'est « s'amuser à des riens » ; le mot s'est altéré en *pignocher*.

1213. *s'il chet en coche*. Il s'agit de la *coche* de l'arbalète : « Si le carreau est bien placé dans l'encoche par l'arbalétrier. »

1218. Le juge, en arrivant à l'audience, prie Pathelin, présent dans la salle, de s'asseoir à ses côtés ; mais celui-ci refuse pour conserver sa liberté d'action.

1221. *riens*. Sens positif : quelque chose, une affaire. Voir Ch. Marchello-Nizia, *op. cit.*, p. 149, et R. Martin et M. Wilmet, *op. cit.*, § 25.

se delivre, expédie rapidement l'affaire.

1237. *que*, ce que. Voir Martin et Wilmet, *op. cit.*, § 415.

1247. *deluge*. Emploi imagé : carnage, hécatombe. Même emploi dans *Le Mystère de la Passion de Jean Michel*, vers 3714 : *Vecy ung outrageux deluge*, est-il dit à propos du meurtre de Ruben.

1250. *aloué*. Personne liée par un contrat de louage de services.

1262. *appertement*, clairement, vivement.

1267. *il erre*, il divague, il se trompe.

1270. *l'* représente ou « sa leçon » ou « la manière de plaider ».

1274. *libelle,* livret où l'avocat fait écrire sa cause ; de là, la cause elle-même. Voir P. Lemercier, *art. cit.*, p. 209 : « Ce terme fut emprunté au droit romain par la procédure suivie devant les Officialités où il désigne la requête écrite introductive d'instance adressée par le demandeur à l'official ; au début de l'audience, l'official faisait lire le libelle et le défendeur indiquait la position qu'il entendait soutenir. »

1278. *le drap de ma robe.* Pathelin revient sans doute sur la scène au moment du procès dans une robe neuve, taillée dans l'étoffe qu'il a emportée.

1290. *luy* pour *l'y,* à la suite des équivalences perpétuelles entre *luy* et *ly :* « Il faut que nous le ramenions à son sujet. »

1295. *il vous fait paistre,* il vous fait paître comme du bétail, il se moque de vous. Voir *Roman de Renart,* branche IV, vers 24, *Renars fet tot le monde pestre,* « Renart dore la pilule à tout le monde ».

1299. *Il le converse,* il le fréquente ; *converser avec quelqu'un,* « vivre avec quelqu'un » ; *converser entre eux,* « vivre entre eux ». Le sens moderne, « parler avec quelqu'un », date du XVIIe siècle.

1312. *ceste assessoire,* ce fait accessoire. Le juge, croyant à l'explication que Pathelin lui a donnée, entend par *principal* le vol des moutons et par *accessoire* la vente de la laine dont aurait été faite la robe de l'avocat.

1319-1320. *avaler sans mascher,* accepter sans rien dire, sans broncher. Voir *Les Cent Nouvelles nouvelles, éd. citée,* p. 206, l. 162.

1324. *ce gentil maistre.* Emploi ironique de *gentil,* « noble ».

1333. il *me* nye. Double sens de *me :* 1) il nie avoir pris le drap ; 2) il me refuse l'argent qu'il me doit.

1342. *grant erre,* à vive allure. Locution adverbiale, formée sur un nom tiré du verbe *errer,* du latin *iterare,* « cheminer, marcher, aller », à ne pas confondre avec *errer,* du latin *errare,* « s'égarer, se tromper ». Du premier verbe *errer,* ne subsistent que quelques vestiges comme *errements* « façons d'agir habituelles », *chevaliers errants* « qui s'en vont à l'aventure », *le Juif errant* « condamné à marcher sans fin ».

1346. *rafardez,* « rabâchez ».

1350. *brouille,* « marmotte ». Voir Coquillart, *L'Enquête d'entre la simple et la rusée...,* vers 629-632 : *L'une crye et l'autre fatroulle, / L'une avoit ung escouvillon / De four, l'une crye et l'autre broulle, / Et l'autre portoit ung pilon.*

1351. *au coup la quille,* « au hasard », « à tort et à travers ». Voir Coquillart, *Le Monologue de la gouttière,* vers 152-159 : « *Je m'en partis faisant les saulx, / Frisque, mignon, gaillart, habille / Saultant, voustant sur les carreaux, / Pour prendre congé de la fille. / Je payoie bien au coup la quille, / Bref, nous fismes si grans despens / Que je n'avoie plus croix ne pille / Quand j'arrivay cheux mes parens.*

1371-1372. La désignation d'office d'un défenseur pour qui n'a pu trouver un avocat est prévue dès le XIIIe siècle par Ph. de Beaumanoir dans ses *Coutumes de Beauvaisis*, et courante dans la pratique. (Voir P. Lemercier, *art. cit.*, p. 210.) Pathelin suggère d'être désigné comme conseil du berger en expliquant que celui-ci, moins intimidé, sera sans doute plus loquace. Le juge n'objecte que des raisons d'intérêts pécuniaires pour l'avocat, qui manifeste un total désintéressement.

1374. *trestoute froidure*, expression imagée, « une très mauvaise affaire ».

1375. *Peu d'acquest*. Personnage de farce qui représente le pauvre, et qu'on trouve pour la première fois selon C. Pickford dans la farce de *Marchandise, Le Temps qui court et Grosse despence*, composée vers 1450. C'est aussi le nom d'un coquin du n° LIII du *Recueil Cohen*. O. Jodogne n'y voit qu'un nom commun qu'il traduit par « c'est peu de profit ».

1380. *aux faitz de partie*, aux accusations de la partie adverse.

1385. *que Dieu rea*, que Dieu versa en sillons. E. Philipot a cité ces vers d'E. Deschamps : ... *la couronne et la croix qu'il porta, / Et le saint sang que Dieu roya...*

1394. *fol naturel*, idiot de naissance, complètement fou.

1397. *Saint Sauveur d'Esture*. San Salvador Valdedios, près d'Oviedo, dans les Asturies.

1398. Sorte de prédiction du drapier qui annonce la supériorité finale du berger sur l'avocat.

1400. *sans jour*, sans l'ajourner à comparaître à une date déterminée.

1403. *l'en... l'en...* Le premier *l'en* est notre *l'on*, le second représente *li en*.

1411. *tribouileries*, ennuis, tracasseries.

1422. *ung quarat*, un carat.

1423. *barat*, ruse, tromperie : c'est un mot fréquemment appliqué à Renart. Sans doute ce mot, d'origine obscure (celt. *bar*, bagarre) signifiait-il à l'origine « confusion, désordre, tapage » ; de là, des sens dérivés : 1) tapage d'une foule en fête ; foule ; divertissement, fête ; élégance manifestée un jour de fête ; 2) tapage, bagarre, querelle ; tromperie, ruse ; marchandage, achat.

1438. *brebïailles*. On retrouve le suffixe péjoratif en *-aille ;* voir note du vers 416.

1441. *C'est une vïelle*, c'est la même rengaine. La vielle était à l'origine le violon primitif. Plus tard, le même nom a été donné à l'instrument qu'il désigne encore aujourd'hui, et qui, se jouant mécaniquement, répète toujours les mêmes airs.

1448. *flageollé*, lambiné. Selon H. Lewicka, *op. cit.*, p. 90, *Flageoler* « lambiner » (v. 1448) et « marmotter » (v. 733), n'a ces sens figurés qu'en Normandie, cf. *Me Mimin étudiant* (Trois farces, v. 107) et *Jeninot qui fit un roi de son chat* (ATF I, p. 300). Voir note du vers 476.

1452. *meshaigné*, mutilé, infirme. Qu'on pense au Roi Mehaigné du *Conte du Graal !*

1457. *bergerie*. Il se pourrait que le mot signifie ici « troupeau de brebis », puisque Pathelin vient de parler de *brebïailles et moutons* (v. 1438). Ce serait un emploi dialectal de l'Ouest.

1461. *le ferez vous pendre*. Voir P. Lemercier, *art. cité*, p. 207 : « Ce n'est pas simplement un argument de plaidoirie. Le vol — et la malhonnêteté de Thibaut l'Agnelet, que nous appellons aujourd'hui abus de confiance, rentre alors sous cette dénomination générale — est puni souvent de mort, particulièrement quand il est le fait d'un récidiviste. Ainsi le procès civil intenté par le drapier aurait pu avoir des conséquences pénales, si le juge, se fondant sur l'état de folie du berger, n'avait prononcé son absolution. »

1467. *C'est très bien retourné le ver*. *Trouver* ou *retourner* ou *changer le ver*, c'est changer de sujet. Voir *Les Cent Nouvelles nouvelles*, p. 281, lignes 121-122. *Ver* a été donné comme le cas régime de *vers*.

1471. *Je l'assoulz*. Pathelin a gagné : le berger est délié de toute obligation à l'égard du demandeur.

1483. *couraige*. Sur ce mot *courage* « cœur », voir l'étude de J. Picoche, *Le Vocabulaire psychologique dans les Chroniques de Froissart*, Paris, 1976, pp. 53-57.

1484. *ouez*. Du verbe *oïr, ouir*, la forme primitive *oez* s'est fermée en *ouez*, tandis que se développait une forme concurrente, *oiez, oyez*, qui a triomphé. Voir P. Fouché, *Le Verbe français*, p. 35.

1492. *La cour t'asoult*. « Cette *absolution* est prise ici dans un sens très général : abandon de toute procédure pénale et de toute demande civile en dommages et intérêts » (P. Lemercier, *art. cité*, p. 212).

1501. *lierre*, cas sujet de *larron*.

1510. *Esservelé*, Écervelé, sot. Personnage de farce ou fou de cour.

1511. *pelé*. Pour P. Lemercier, il s'agit de la tonsure d'un clerc (p. 215). Mais on peut penser qu'il a été rasé pour faire disparaître toute trace de tonsure : ce serait un clerc dégradé. Ajoutons aussi qu'on rasait les présumés sorciers pour leur arracher le maléfice de taciturnité. Voir nos *Nouvelles Recherches sur Villon*, p. 122.

1519. *Jehan de Noyon*. Personnage dont on a en vain cherché l'identité. Sans doute l'auteur joue-t-il sur les mots : Jean de Noyon, c'est le benêt *(jean)* ou le faux naïf qui nie (*noyon*, *noier* étant l'infinitif de notre verbe *nier*).

1522. *potatif*. Adjectif formé sur le verbe latin *potare* et signifiant « aviné ». Voir la note du vers 770.

1524. *orains*, « tout à l'heure ». « Singulière concentration du temps, théâtre de l'impossible où la distorsion de la durée met précisément en valeur le paraître... » (J. Ch. Payen, *La farce et l'idéologie : le cas de Maître Pathelin*, dans *Le Moyen Français*, n° 8-9, p. 16.)

1531. *Or n'en croyez rien*. Cette phrase ne se trouve que dans l'édition Galiot du Pré.

1535-1536. Excédé, le drapier finit par dire des absurdités.

1538. *treuve*, trouve. *Treuve*, provenant de *trueve* (lat. *tropat*) a été refait en *trouve*, sur le modèle des formes accentuées sur la terminaison, *trouvons*, *trouvez*, *trouver*... *Treuve* est encore employé au XVIIe siècle, en particulier par La Fontaine, et Vaugelas déclare : « *Trouver* et *treuver* sont tous deux bons, mais *trouver* avec *o* est sans comparaison meilleur. » Thomas Corneille, dans ses remarques sur Vaugelas, tranchera : « Les poètes qui disent *treuver* font une faute. » Voir P. Fouché, *Le Verbe français*, p. 75, et N. Andrieux et E. Baumgartner, *Systèmes morphologiques de l'ancien français. A. Le verbe*, Bordeaux, 1983, pp. 97 et 101.

1545. *bele estorse*. Expression imagée : *estorse* signifie « entorse », « action de tordre, ou d'assener un coup, ou de s'échapper ».

1559. Certains ponctuent différemment : *Sez tu quoy je te diray ?...*

1560. *abaier*, dire *bée* ou aboyer.

1562. *baierie*, *beerie*, le fait de dire *bée*.

1569. *Tu fais le rimeur en prose*. Utiliser des rimes dans un texte en prose ; être extravagant.

1570. *a qui vends tu tes coquilles ? Coquilles*, objets sans valeur ; objets imités ; tromperie ; *bailler des coquilles*, *dresser une coquille*, c'est « organiser une fourberie, tromper ». Voir le rondeau de Charles d'Orléans (LXXVII) :

> A qui vendez vous voz coquilles
> Entre vous, amans pelerins ?
> Vous cuidez bien, par voz engins,
> A tous pertuis trouver chevilles.

Beaucoup de pèlerins circulant sur les routes, de faux pèlerins affirmaient revenir de Saint-Jacques-de-Compostelle et vendaient, comme reliques, les coquilles ornant leur pèlerine et qu'ils prétendaient rapporter d'Espagne.

1580. *paillart*. Terme de mépris : propre à rien, coquin, gueux (à l'origine, celui qui couche sur la paille).

1586. Expression proverbiale, signifiant « tromper ».

1589. *coureux*. Ce mot apparaît dans l'*Epître à ses amis* de Villon, vers 13, *Coureux allant francs de faux or, d'aloi*. Le mot avait le sens de « marchand ambulant », de « vagabond vivant d'expédients ».

1592. *ung bergier des champs*. Faut-il suivre R. Lejeune, *art. cité*, p. 518, selon qui c'est non un berger des champs, un simple berger, mais un berger des Champs, du Pré-aux-Clercs (*ad campos clericorum* ou simplement *Ad campos*). Il est de ces bergers « faisant paître leurs troupeaux sur le vaste domaine rural que l'abbaye de Saint-Germain possédait au XVe siècle sur les bords de la Seine, et qui se composait de terres labourables, de prés, de vignes et de garennes. Des troupeaux de vaches et aussi de moutons pâturaient sur le Pré-aux-Clercs. Ces moutons alimentaient en partie les métiers des tisserands (« drapiers drapant ») que l'on trouvait à l'intérieur du bourg de Saint-Germain » ?

DOSSIER

DEUX MISES EN SCÈNE DE 1970

[Faute de place, nous n'avons pas pu indiquer les principales mises en scène de notre siècle. Nous renvoyons au travail de Jean-Claude Marcus — voir bibliographie — et à notre étude à paraître dans le volume *La Farce de Maître Pierre Pathelin*, Paris, Champion, 1986.]

La mise en scène de Jacques Guimet[1] est une mise en scène engagée. Il ne s'est pas intéressé au dispositif scénique — il adopte le procédé conventionnel depuis Jacques Copeau, il situe Pathelin au jardin et Guillaume à la cour — mais surtout aux rapports entre les personnages et au milieu qui les a produits. Pour lui, la pièce est à considérer sous l'angle de la dialectique entre le déterminisme social qui est tout-puissant, et la liberté.

Le spectacle commençait par un ballet de marionnettes géantes, dont chacune évoquait la Royauté, l'Église, la Misère, le Travail, l'Argent, la Guerre, la Mort, et qui ensuite, fixées au décor, délimitaient l'univers borné dans lequel les personnages allaient se mouvoir, sorte de barrière infranchissable contre quoi s'échouaient les désirs et les actes des individus mis en scène par l'auteur et représentatifs des divers types qui s'affrontent dans la vie sociale.

Cette vie est caractérisée par l'ennui. Pathelin, dont le visage fermé est terni d'un rouge sale, ressent profondément cet ennui qu'il s'applique à tromper par l'action. Guillemette se ferme au monde, cantonnée dans les petits travaux domestiques, sans rien à attendre ni à espérer. Femme mort-

1. Dont la compagnie fut chargée du Théâtre de l'enfance, préfiguration de la Maison de la Culture de la Seine-Saint-Denis.

née, en tenue négligée, le maquillage blanc donne à sa personne une expression tragique ; mais elle participera à ce délire de puissance sordide qui a embrasé Pathelin. Le berger, mi-animal, mi-homme, essaie d'échapper à sa condition : sa résignation et son instinct sont pour lui la plus sûre des parades. Le juge, par sa perruque blanche et son large chapeau, a une apparente dignité que sapent et ses accès de colère contre Guillaume et la bouteille de vin qu'il boit ; il s'amuse aussi aux dépens du drapier. Lequel est une sorte de Shylock tragique, vêtu d'une grosse bure, le teint gris, l'air inquiet. Ascète à la vie rude, petit-bourgeois dur, violent envers le berger, âpre au gain, c'est un homme sincère dont la nécessité a réduit l'esprit à la dimension étroite de sa boutique, et qui finit par sombrer dans la folie.

Pour faire sentir le poids du déterminisme, le jeu des comédiens est distancié, outré, et ils jouent avec des objets qui ont valeur de signes : cuillère à soupe de Pathelin, ustensiles de cuisine de Guillemette, bâton de Guillaume... ; le vers, bien marqué, détache encore davantage l'acteur du personnage qu'il joue.

La mise en scène de Jacques Bellay marque un retour à la farce [1] et le souci de manifester l'extraordinaire gaieté de la pièce, l'ambiance de fête, et de retrouver la spontanéité des acteurs médiévaux. Pour établir une complicité avec le public, J. Bellay a eu recours à divers moyens.

D'abord, à un dispositif scénique original : J. Bellay et D. Nadaud ont abandonné le théâtre à l'italienne, pour inclure le public dans l'aire scénique, conserver la simultanéité des lieux, accentuer la mobilité du jeu.

Ensuite, à une scène de foire, au moment où Pathelin annonce qu'il se rend au marché : arrivent, surgissant de toutes parts, le drapier, un troubadour, un bateleur, deux lutteurs, un présentateur ; chacun, en divers endroits, mêlé au public, chante, vante sa marchandise, combat, Pathelin allant de l'un à l'autre. Des textes en octosyllabes avaient été composés, ou adaptés, à leur intention.

L'octosyllabe jouait le rôle d'élément rythmique fondamental : eu égard à l'éparpillement des lieux, au foisonnement du public, au plein air, seules des sonorités éclatantes pouvaient réussir à s'imposer.

Enfin, pour que le public se laisse aller au rire, le metteur

1. Qu'appelaient, dans le texte lui-même, la cascade des ruses, le comique de mots et le burlesque du délire.

en scène avait soigné l'enchaînement des lazzis, se rapprochant du comique clownesque d'autant plus que les maquillages étaient outrés (pommettes rouges du drapier, nez et joues rouges du berger, face blanchie et bonnet d'âne du juge), que les costumes rappelaient ceux des sots et que le rond central évoquait la piste du cirque autour de laquelle Pathelin et le berger tournaient en sens contraire sous les yeux effarés du juge. J. Bellay avait aussi imaginé des sketches de clown : dans son délire, Pathelin tenait sur ses épaules le drapier qu'il faisait tournoyer avant de le déposer à terre ; le berger, pour approcher l'avocat, montait sur la table et se jetait à son cou ; à la fin du procès, juge, drapier et berger se retrouvaient à quatre pattes comme des moutons.

C'était donc le retour à la farce pure, à sa fantaisie débridée, à son rythme alerte, aux manifestations d'une extraordinaire vitalité.

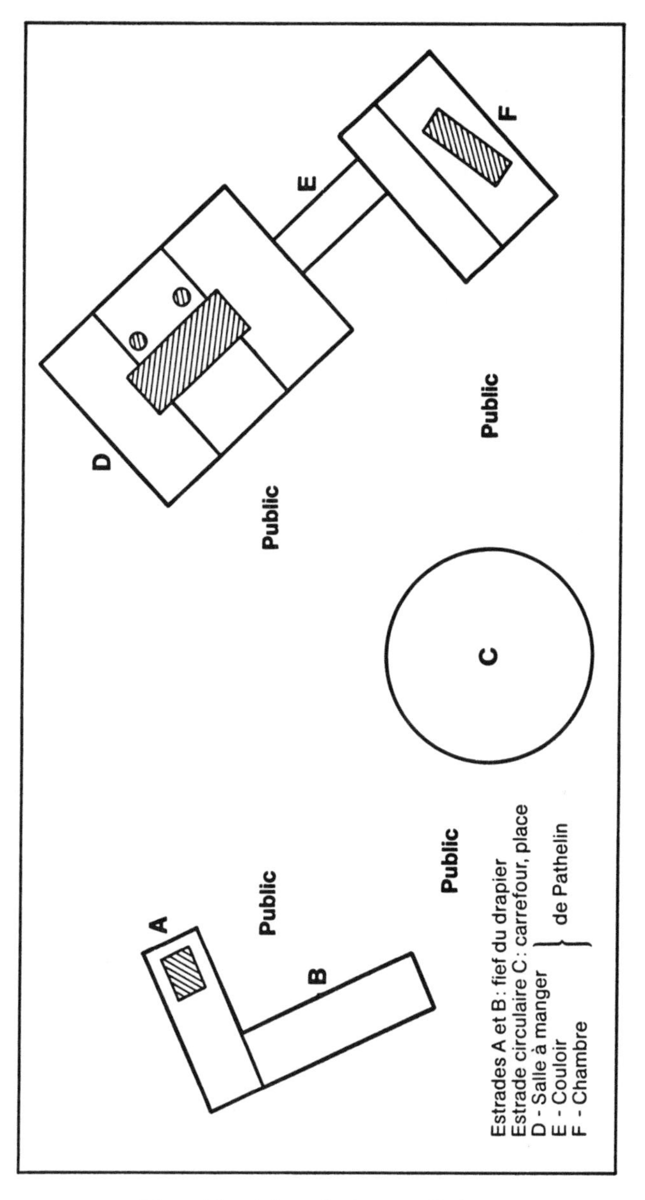

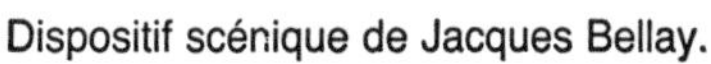
Dispositif scénique de Jacques Bellay.

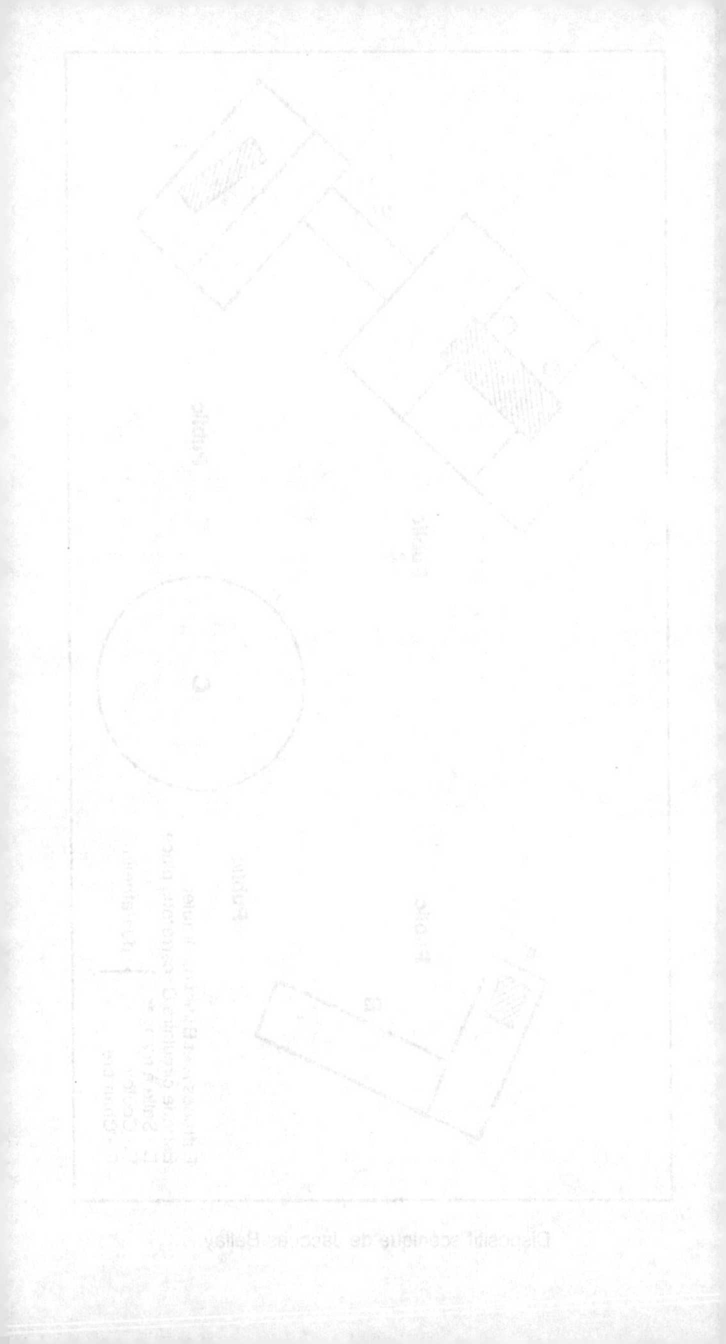

PREMIÈRES ÉDITIONS ET MANUSCRITS

I. LES PRINCIPAUX IMPRIMÉS

Ils ne sont connus, pour la plupart, que par un seul exemplaire. Voir, sur ce point, R. T. Holbrook, *Étude sur Pathelin. Essai de bibliographie et d'interprétation*, 1917, et le compte rendu de L. Spitzer, dans *Zeitschrift für romanische Philologie*, t. XLIV, 1925, pp. 368-373.

1. Édition de Guillaume Le Roy, 1485 ou 1486. Titre : *Maistre Pierre Pathelin.* Avant 1802, le seul exemplaire connu avait perdu cinq feuillets (pp. 15-16, 73-74, 81-82 et 85-88, c'est-à-dire les vers 234-265, 1367-1396, 1502-1539 et 1563 à la fin). « Vers 1830, Coppinger fit exécuter à la plume, non d'après un original qu'il n'avait pu trouver, mais d'après les éditions de Germain Beneaut et de Pierre Levet, sans suivre exactement ni l'une ni l'autre, des imitations destinées à combler les lacunes. » Pas d'illustrations[1].

2. Édition de Pierre Levet, 1489, quelques semaines après le *Villon* du même éditeur. Elle porte la marque de Pierre Levet, le cœur surmonté d'une croix. Titre : *Maistre pierre pathelin.* Le texte, presque complet, reproduit celui de Le Roy. C'est la première pièce de théâtre à comporter des illustrations originales, et non pas passe-partout, six au total : 1. Maître Pierre comptant sur ses doigts devant Guillemette ; 2. Maître Pierre et le drapier ; 3. Pathelin malade — Guillaume et Guillemette ; 4. Pathelin et le berger ; 5. La scène du procès ; 6. Pathelin veut être payé[2].

1. Cette édition, reproduite en fac-similé (1907), a servi de base aux éditions de R. T. Holbrook, A. Pauphilet et G. Picot ; voir la bibliographie.

2. Cette édition, qui se trouve à la Bibliothèque nationale sous la cote Inv. Rés. Ye 243, a été reproduite en fac-similé (1953) et a servi de base pour l'édition de C.E. Pickford.

3. Édition de Germain Beneaut, 1490. Première édition datée et portant le nom de son éditeur : *Explicit maistre pierre pathelin // Imprimé a paris au scaumon devant le // palois par germain beneaut imprimeur // le XXe jour de decembre // l'an mil iiii c iiii xx et dix.* Titre : *Pathelin le grant et le petit.* Il s'agit en fait d'une édition de *Pathelin* et des œuvres de Villon, le *Testament (le grant)* et le *Lais (le petit* Testament). Cette édition, qui reproduit celle de Levet, comporte sept illustrations : 1. Guillemette (qui est la Grosse Margot du *Villon* de Levet) ; 2. Pathelin (qui est le Villon de l'édition Levet) ; 3. le berger et le drapier : quatrième illustration du *Pathelin* de Levet, retournée et refaite ; 4. Guillemette, répétition de la première ; 5. le berger et le drapier, répétition de la troisième ; 6. la scène du procès, refaite d'après Levet ; 7. la scène du procès, répétition de la sixième [1].

4. Édition de Pierre Le Caron, entre 1496 et 1500. Titre : *Maistre // Pierre Pachelin.* A cette édition entièrement gothique, qui a repris le texte de Levet, il manque quatre feuillets, soit les vers 1404-1557. Six illustrations, dont l'une semble originale : Pathelin au lit, au milieu Guillemette debout, à sa gauche une petite fille qui tient de chaque main un vase.

5. Édition de Marion Malaunoy, entre 1495 et octobre 1499 ou, au plus tard, 1502. Titre : *Maistre // Pierre pathelin Hystorié.* M. Malaunoy a recopié l'édition de son mari Pierre Le Caron qu'elle a corrigée en se servant de l'édition Levet à partir du vers 746. Sept illustrations, dont cinq proviennent des éditions Levet, Beneaut et Le Caron, et dont deux sont nouvelles : Pathelin et Guillemette au lit ; la scène du procès [2].

6. Édition de Jean Herouf (Herulf), entre 1496 et 1499 ou 1502. Titre *Maistre Pierre // Pathelin et son jargon.* Explicit : *Imprimé a paris p Jehan herulf demourant en la rue neuve nr̄edame a lymage saint Nycolas.* Herouf a réimprimé le texte de M. Malaunoy, tout en se servant de Levet [3].

7. Éditions de Jean Trepperel :

a) entre le 13 octobre 1499 et 1502 : recopie le texte de Jean Herouf et reproduit les six bois de Levet [4] ;

1. Cette édition se trouve à la Bibliothèque nationale sous la cote Inv. Rés. Ye 217, et a servi de base à l'édition de F. Genin.
2. Reproduite en fac-similé en 1904.
3. A la Bibliothèque de l'Arsenal sous la cote B.L.Y. 11235.
4. A la Bibliothèque nationale sous la cote Inv. Rés. Ye 237.

b) sans doute en 1497[1];

c) entre 1502 et 1511.

8. Édition intitulée *Maistre pierre // Pachelin* (Arsenal, B.L. 11234). Le texte qui remonte à celui de Marion Malaunoy et a été corrigé à l'aide d'autres éditions, est suivi de deux farces : *le nouveau Pathelin à trois personnages, c'est assavoir : Pathelin, le Pelletier et le Prebstre*, et *le testament Pathelin a Quatre personnages, c'est assavoir Pathelin, Guillemette, l'apoticaire et Messire Jehan le Curé.*

9. Édition du British Museum (C 8 b 11). Titre : *Maistre Pierre Pathelin;* la farce est précédée du *Nouveau Pathelin* et suivie du *Testament Pathelin.*

10. Édition du Bristish Museum (242 a 12). Titre : *Maistre Pierre Pathelin;* la farce précède les deux autres pièces.

11. Édition de la Bibliothèque nationale (Inv. Rés. Ye 1292) qui remonte à l'édition enregistrée sous notre n° 8, Arsenal B.L. 11234.

12. Édition de Jean Bonfons, entre 1547 et 1568. Remontant elle aussi à l'éd. d'Arsenal B.L. 11234, la *farce de Pierre Pathelin* précède les deux autres pièces[2].

13. Édition de Galiot du pré, 1532. Dans un ensemble qui comprend les œuvres de Villon, *Maistre Pierre Pathelin restitué à son naturel, le Grant Blason des faulses amours, le Loyer des folles amours...*, cette première édition de *Pathelin* en lettres rondes reproduit l'édition Levet qu'elle corrige çà et là par celle de Le Caron. Elle a inspiré toutes les éditions postérieures.

II. LES MANUSCRITS

1. Manuscrit Bibliothèque nationale, nouvelles acquisitions 4723, qui, selon Holbrook, reproduit l'édition Levet.

2. Manuscrit Bibliothèque nationale, manuscrit français 15080, dit manuscrit BIGOT.

3. Manuscrit de Harvard University.

4. Manuscrit Bibliothèque nationale fonds français 25467, dit manuscrit LA VALLIÈRE[3].

1. A la Bibliothèque nationale sous la cote Inv. Rés. Ye 242.

2. A la Bibliothèque nationale sous la cote Inv. Rés. Ye 1291.

3. Le texte de ce manuscrit a été reproduit par J.-Cl. Aubailly; voir bibliographie

L'on a cru longtemps que ces manuscrits étaient la copie d'anciennes éditions ; il semble qu'il faille renoncer à cette idée et qu'ils soient antérieurs aux premiers imprimés, donc à 1485. La question est donc à reprendre dans sa totalité.

BIBLIOGRAPHIE

I. ÉDITIONS

a) *éditions anciennes.*

Maistre Pierre Pathelin. Reproduction en fac-similé de l'édition imprimée vers 1485 par Guillaume Le Roy à Lyon, publiée par E. PICOT, Paris, Société nouvelle de librairie et d'édition Cornély et Cie, 1907 *(Société des textes français modernes).*

Maistre Pierre Pathelin. Reproduction en fac-similé de l'édition imprimée en 1489 par Pierre Levet, publiée par R. T. HOLBROOK, Genève, Droz, 1953 *(Textes littéraires français).*

Maistre Pierre Pathelin hystorié. Reproduction en fac-similé de l'édition imprimée vers 1500 par Marion Malaunoy, veuve de Pierre Le Caron, préface d'E. PICOT, Paris, F. Didot, 1904 *(Société des anciens textes français).*

b) *éditions modernes.*

Maistre Pierre Pathelin, texte revu sur les manuscrits et les plus anciennes éditions, avec une introduction et des notes, par F. GENIN, Paris, 1854.

La Farce de Maistre Pathelin, éd. par F. Éd. SCHNEEGANS, Strasbourg, 1908 *(Bibliotheca romanica).*

Maistre Pierre Pathelin, farce du XVe siècle, publiée par R. T. HOLBROOK, Paris, H. Champion, 1924 ; 2e éd., 1937 ; nombreuses réimpressions *(Classiques français du Moyen Âge).*

Maistre Pierre Pathelin, texte établi et annoté par A. PAUPHILET, dans les *Jeux et Sapience du Moyen Âge*, Paris, Gallimard, 1941 *(Bibliothèque de la Pléiade).*

Maistre Pierre Pathelin, édité par B. C. BOWEN, dans ses *Four Farces*, Oxford, Blackwell, 1967 (*Blackwell's French Texts*).

La Farce de Maistre Pierre Pathelin..., par C. E. PICKFORD, Paris, Bordas, 1967 (*Les Petits Classiques Bordas*).

La Farce de Maistre Pathelin..., par G. PICOT, Paris, Larousse (1972) (*Nouveaux Classiques Larousse*).

La Farce de Maistre Pathelin et ses continuations. Le Nouveau Pathelin et le Testament de Pathelin..., par J.-CL. AUBAILLY, Paris, CDU-SEDES, 1979 (*Bibliothèque du Moyen Âge*).

c) *éditions du* VETERATOR, *adaptation latine de la farce.*

Veterator (Maistre Pathelin) und Advocatus, zwei pariser Studentenkomödien aus den Jahren 1512 und 1532,... par J. BOLTE, Berlin, Weidmann, 1901.

Comedia nova que Veterator inscribitur, alias Pathelinus ex peculiari lingua in Romanum traducta eloquium, édité par Walter FRUNZ, Zurich, 1977.

II. TRADUCTIONS

Maître Pierre Pathelin. Farce du XVe *siècle translatée en français moderne* par O. JODOGNE, Gand, Éd. Scientifiques E. Story-Scientia, 1975 (*Ktémata*, 2).

La Farce de Maître Pathelin, dans *Le Théâtre comique du Moyen Âge*, par Cl. A. CHEVALLIER, Paris, UGE, 1973 (Collection 10/18).

Voir aussi les éditions de G. PICOT et de J.-Cl. AUBAILLY qui comportent une traduction.

III. ÉTUDES CRITIQUES

J.-L. de ALTAMIRA, *La Vision de la mort dans Maître Pathelin*, dans *Dissonances*, t. I, 1977, pp. 119-130.

J.-Cl. AUBAILLY, *Le Théâtre médiéval profane et comique*, Paris, Larousse, 1975 (*Thèmes et textes*); *Les Procédés du comique de Pathelin à Rabelais*, mémoire de maîtrise, Clermont-Ferrand, Institut de littérature française, 1964.

A. BANZER, *Die Farce Pathelin und ihre Nachahmungen*, dans *Zeitschrift für französische Sprache und Literatur*, t. X, 1888, pp. 93-112.

G. BONNO, *Réponse critique* (à Mario Roques), dans *Romanic Review*, t. XXIV, 1933, pp. 30-36.

J.-P. BORDIER, *Pathelin, Renart, décepteurs et badins*, communication présentée au 3e Colloque international de Théâtre médiéval, Dublin, 9-12 juillet 1980.

E. CAZALAS, *Où et quand se passe l'action de Maistre Pierre Pathelin*, dans *Romania*, t. LVII, 1931, pp. 573-577.

L.-E. CHEVALDIN, *Les Jargons de la farce de Pathelin, pour la première fois reconstitués, traduits et commentés*, Paris, Fontemoing, 1903.

G. COHEN, *Rabelais et le théâtre*, dans *Revue des Études rabelaisiennes*, t. IX, 1911, pp. 1-74 ; *Le Théâtre en France au Moyen Âge*, II, *Le Théâtre profane*, Paris, 1931, pp. 78-98.

P. CONROY, *Old and New in French Medieval Farce*, dans *Romance Notes*, t. XIII, 1971, pp. 336-343.

L. CONS, *L'Auteur de la Farce de Pathelin*, Princeton University Press et Paris, PUF, 1926 (*Elliott Monographs in the Romance Languages and Literatures*, 17).

L. S. CRIST, *Pathelinian Semiotics : Elements for an Analysis of Maistre Pierre Pathelin*, dans *L'Esprit Créateur*, t. XVIII, 1978.

L. DAUCE, *L'Avocat vu par les littérateurs français*, Rennes, Oberthur, 1947, pp. 65-101.

G. DI STEFANO, *Quale Pathelin?* dans le *Moyen Français*, t. VII, 1980, pp. 142-153.

E. DROZ, *L'Illustration des premières éditions parisiennes de la farce de Pathelin*, dans *Humanisme et Renaissance*, t. I, 1934, pp. 145-150.

O. DUBSKY, *Deux contes populaires des Slaves du Nord en rapport avec le sujet de la Farce de Maître Pathelin*, dans la *Revue des traditions populaires*, t. XXIII, 1908, pp. 427-429.

M. ERRE, *Langage(s) et pouvoir(s) dans la Farce de Maître Pathelin*, dans *Dissonances*, t. I, 1977, pp. 90-118.

W. H. W. FIELD, *The Picard Origin of the Name Pathelin*, dans *Modern Philology*, t. LXV, 1967, pp. 362-365.

A. FISCHLER, *The Theme of Justice and the Structure of la Farce de Maître Pierre Pathelin*, dans *Neophilologus*, t. LIII, 1969, pp. 261-273.

S. FLEISCHMAN, *Language and Deceit in the Farce of Maistre Pathelin*, dans *Tréteaux*, t. III, mai 1981, pp. 19-27.

P. FLEURIOT DE LANGLE, *Les Sources du comique dans Maître Pathelin*, Angers, Imprimerie du Roi René, 1926.

G. FRANK, *Pathelin*, dans *Modern Language Notes*, t. LVI, 1941, pp. 42-47 ; *The Medieval French Drama*, Oxford, 1954.

J. FRAPPIER, *La Farce de Maistre Pierre Pathelin et son originalité* dans les *Mélanges... M. Brahmer*, Varsovie, PWN, 1967, pp. 207-217 ; article repris dans *Du Moyen ÂGE à la Renaissance, Études d'histoire et de critique littéraires*, Paris, Champion, 1976, pp. 245-259.

R. GARAPON, *La Fantaisie et le comique dans le théâtre français du Moyen Âge à la fin du XVIIe siècle*, Paris, A. Colin, 1957.

F. GEGOU, *Argot et expressions argotiques dans Maître Pierre Pathelin* dans *Actes du XIIIe Congrès international de linguistique et philologie romanes tenu à l'Université de Laval (Québec) du 29 août au 5 septembre 1971*, Laval, Presses de l'Université de Laval, 1976, pp. 691-696.

A. HAMILTON, *Two Spanish Imitations of Maistre Pathelin*, dans *Romanic Review*, t. XXX, 1939, pp. 340-345.

H. G. HARVEY, *The Judge and the Lawyer in the Pathelin*, dans *Romanic Review*, t. XXXI, 1940, pp. 313-333 ; *The Theatre of the Basoche. The Contribution of the law Societies to French Medieval Comedies*, Cambridge, Mass., 1941.

R. T. HOLBROOK, *Maître Pathelin in the Gothic Editions by Pierre Levet and Germain Beneaut*, dans *Modern Philology*, t. III, 1905, pp. 117-128 ; *Pathelin in Oldest Known Texts. I. Guillaume Le Roy, Pierre Levet, G. Beneaut*, dans *Modern Language Notes*, t. XXI, 1906, pp. 65-73 ; *Le plus ancien manuscrit connu de Pathelin*, dans *Romania*, t. XLVI, 1920, pp. 80-103 ; *The Harvard Ms. of the Farce of Maistre Pathelin and Pathelin's Jargon*, dans *Modern Language Notes*, t. XX, 1905, pp. 5-9 ; *Étude sur Pathelin, essai de bibliographie et d'interprétation*, Baltimore, John's Hopkins Press et Paris, Champion, 1917 (*Elliott Monographs in the Romance Languages and Literatures*, 5) ; *Pour le commentaire de Pathelin*, dans *Romania*, t. LIV, 1928 ; *Commentaires lexicologiques sur certaines locutions françaises médiévales*, dans les *Mélanges... A. Jeanroy*, Paris, Droz, 1928, pp. 181-189 ; *Guillaume Alecis et Pathelin*, Berkeley, University of California Press, 1928 ; *La Paternité de Pathelin : critiques et réponses. La première réfutation logique du calcul des probabilités appliqué à la solution du problème*, dans *Romania*, t. LVIII, 1932, pp. 574-599 ; *Exorcism with a Stole. Illustrated by Examples in the Farce of Maistre Pathelin, in Li Jus Adam and in the Fabliau Entitled*

Estula, dans *Modern Languages Notes*, t. XIX, 1904, pp. 235-237, et t. XX, 1905, pp. 111-115.

U.T. HOLMES, *Les Noms de saints invoqués dans le Pathelin*, dans *Mélanges... G. Cohen*, Paris, Nizet, 1950, pp. 125-129 ; *Pathelin, 1519-1522*, dans *Modern Language Notes*, t. LV, 1940, pp. 106-108.

O. JODOGNE, *Notes sur Pathelin*, dans *Festschrift W. v. Wartburg*, Tübingen, 1968, pp. 431-441 ; *Rabelais et Pathelin*, dans *Lettres romanes*, t. IV, 1955, pp. 3-14.

L. JORDAN, *Zwei Beiträge zur Geschichte und Würdigung des Schwanks vom Advokaten Pathelin*, dans *Archiv*, t. CXXIII, 1909, pp. 342-552.

D. KLEIN, *A Rabbinical Analogue to Pathelin*, dans *Modern Language Notes*, t. XII, 1907, pp. 12-13.

H. KUEN, *Was ist ein Blanc prenable (Pathelin, 774)? Die Bestimmung der aktualisiserten Bedentung durch den nätteren und den weiteren Kontext*, dans *Philologica Romanica...*, Munich, Fink, 1976, pp. 289-293.

R. LEBEGUE, *Le Rôle de Comicus dans le Veterator*, dans les *Mélanges... R. Guiette*, Anvers, de Nederl. Boekhandel, 1961, pp. 195-201 repris dans *Études sur le théâtre français*, I, *Moyen Âge et Renaissance*, Paris, Nizet, 1977, pp. 119-126 ; *Le Théâtre comique en France de Pathelin à Mélite*, Paris, Hatier, 1972 (*Connaissance des Lettres*, 62).

A. LEFRANC, *Explication de la farce de Maître Pierre Pathelin*, dans *Annuaire de l'École pratique des Hautes Études*, 1911-1912, pp. 71-74, et 1912-1913, pp. 89-92.

R. LEJEUNE, *Pour quel public la farce de Maître Pierre Pathelin a-t-elle été rédigée?* dans *Romania*, t. LXXXII, 1961, pp. 482-521 ; *Le Vocabulaire juridique de Pathelin et la personnalité de l'auteur*, dans les *Mélanges... R. Guiette*, Anvers, de Nederl. Boekhandel, 1961, pp. 185-194.

P. LEMERCIER, *Les Élémentes juridiques de Pathelin et la localisation de l'œuvre*, dans *Romania*, t. LXXIII, 1952, pp. 200-226.

H. LEWICKA, *Pour la localisation de la farce de Pathelin*, dans *Bibliothèque d'Humanisme et Renaissance*, t. XXIV, 1962, pp. 273-281 ; *Études sur l'ancienne farce française*, Varsovie, PWN, et Paris, Klincksieck, 1974 (*Bibliothèque française et romane de l'Université de Strasbourg*, série A, 27).

D. MADDOX, *Semiotics of Deceit. The Pathelin Era*, Lewisburg, Bucknell University Press, et Londres-Toronto, Associated University Presses, 1984 ; *The Morphology of*

Mischief in Maistre Pierre Pathelin, dans l'*Esprit Créateur*, t. XVIII, 1978.

J.-Cl. MARCUS, *Adaptations et mises en scène contemporaines de la farce de Maître Pierre Pathelin*, mémoire de maîtrise, Paris III, Institut d'Études théâtrales, 1970, 2 vol.

R. MENAGE, S. AMACHER et C. POIROT, *Les Techniques théâtrales dans la Farce de Maître Pathelin*, dans *Recherches et travaux de l'Université de Grenoble*, UER des Lettres, bulletin n° 17, 1978, pp. 51-61.

Ch. NYROP, *Observations sur quelques vers de la Farce de Maître Pierre Pathelin*, dans le *Bulletin de l'Académie royale du Danemark*, 1900, pp. 331-367.

Th. E. OLIVIER, *Some Analogues of Maistre Pathelin*, dans *Journal of American Folklore*, t. XXII, 1909, pp. 395-430.

J. PARMENTIER, *Le Henno de Reuchlin et la farce de Maistre Pierre Pathelin*, Paris, Leroux et Poitiers, Blanchier, 1884.

G. Z. PATRICK, *Étude morphologique et syntaxique des verbes dans Maistre Pierre Pathelin*, Thèse de Berkeley, University of California Publications in Modern Philology, t. VIII, 1924, pp. 287-379.

J.-Ch. PAYEN, *La Farce et l'idéologie : le cas de Maître Pathelin*, dans le *Moyen Français*, t. 8-9, 1981, pp. 7-25.

E. PHILIPOT, *Remarques et conjectures sur le texte de Maistre Pierre Pathelin*, dans *Romania*, t. LVI, 1930, pp. 558-584.

S. PRATO, *La Scène de l'avocat et du berger. La farce de Maître Pierre Pathelin dans les rédactions littéraires et populaires. Essai de novellistique comparée*, dans la *Revue des Traditions populaires*, t. IX, 1894, pp. 537-552.

F. RAUHUT, *Fragen und Ergebnisse der Pathelin-Forschung*, dans *Germanisch-romanische Monatsschrift*, sept.-oct. 1931, pp. 394-407 ; *Die Kunst des Dialogs in der Exposition des Maistre Pierre Pathelin*, dans *Zeitschrift für romanische Philologie*, t. LXXXI, 1965, pp. 41-62 ; *Erklärungsbedürftige Stellen im Maître Pierre Pathelin*, *ibid.*, t. XCVIII, 1981, pp. 259-278.

B. REY-FLAUD, *La Farce ou la machine à rire. Théorie d'un genre dramatique, 1450-1550*, Genève, Droz, 1984 (*Publications romanes et françaises*, CLXVII).

M. ROQUES, *Notes sur Maistre Pierre Pathelin*, dans *Romania*, t. LVII, 1931, pp. 548-550 ; *Références aux plus récents commentaires de Maistre Pierre Pathelin*, Paris, CDU, 1942 ; *D'une application du calcul des probabilités appliqué à un problème d'histoire littéraire*, dans *Romania*, t.

LVIII, 1932, pp. 88-99; compte rendu de Louis Cons, *L'Auteur de la farce de Pathelin*, dans *Romania*, t. LIII, 1927, pp. 569-587.

M. ROUSSE, *Pathelin est notre première comédie*, dans les *Mélanges... P. Le Gentil*, Paris, SEDES, 1973, pp. 753-758; *Le Rythme d'un spectacle médiéval : Maître Pierre Pathelin et la farce*, dans *Missions et démarches de la critique (Mélanges J. A. Vier)*, Paris, Klincksieck, 1974, pp. 575-581 *(Publications de l'Université de Haute-Bretagne)*; *Pour une histoire de la farce, XIIe-XVIe siècles*, thèse de doctorat d'État soutenue à Rennes en 1983, 5 vol.

B. ROY, *Maître Pathelin, avocat portatif*, dans *Tréteaux*, t. II, mai 1980, pp. 1-7; *Triboulet, Josseaume et Pathelin à la cour de René d'Anjou*, dans le *Moyen Français*, t. 7, 1980, pp. 7-56.

V.-L. SAULNIER, *Rabelais et les provinces du Nord*, dans *la Renaissance dans les provinces du Nord*, Paris, CNRS, 1956, pp. 124-142.

K. G. A. SCHAUMBURG, *Die Farce Pathelin und ihre Nachahmungen*, Leipzig, F. Maske, 1887; *La Farce de Pathelin et ses imitations*, avec un supplément critique de A. Banzer — Traduit, annoté et augmenté par. L. E. Chevaldin, Paris, Klincksieck, 1889.

J. SCHUMACHER, *Studien zur Farce Pathelin*, Rostock, C. Hinstorff, 1910.

E. STAAFF, *Contributions au commentaire de Maistre Pierre Pathelin*, dans *Studier i modern Sprakvetenskap utgivna av Nyfilologiska Sälskapet i Stockholm*, t. XII, 1934, pp. 159-172.

A. VOGT, *La Farce de l'Avocat Pathelin. Ein Beitrag zur französischen Metrik*, 1881.

P. VOLTZ, *La Comédie*, Paris, A. Colin, 1964 *(Collection U)*.

J. WATHELET-WILLEM, *Un blanc prenable, Pathelin*, dans *Études de langue et littérature françaises offertes à André Lanly*, Nancy, Publications de l'Université de Nancy II, 1981, pp. 385-391.

IV. BIBLIOGRAPHIES

Robert BOSSUAT, *Manuel Bibliographique de la littérature française du Moyen Âge*, Melun, d'Argences, 1951, suppléments (en collaboration avec J. Monfrin) en 1955 et 1961.

R. RANCŒUR, *Bibliographie de la littérature française du Moyen Age à nos jours*, Paris, A. Colin, à partir de 1953.

O. KLAPP, *Bibliographie der französischen Literaturwissenschaft*, Francfort-sur-le-Main, V. Klostermann, à partir de 1960.

H. LEWICKA, *Bibliographie du théâtre profane français des XVe et XVIe siècles*, Paris, CNRS, et Varsovie-Wroclaw-Cracovie-Gdansk, 1980.

CHRONOLOGIE

1453. Prise de Constantinople par les Turcs.
Georges Chastelain, *Les Princes;* Nicolas de Cues, *De pacis fide.*
Donatello travaille à Florence : statue du Gattamelata.
1454. Fondation de la Communauté des Minimes par saint François de Paule.
Le Banquet du Faisan.
René d'Anjou, le *Mortifiement de Vaine Plaisance.*
1455. Début de la guerre des Deux Roses en Grande-Bretagne ; Calixte III pape.
Gutenberg imprime la Bible.
J. Le Prieur, *Le Mystère du Roy Advenir; Farce du Nouveau Marié.*
1456. Les Portugais atteignent le Golfe de Guinée.
Réhabilitation de Jeanne d'Arc ; le dauphin Louis se réfugie chez le duc de Bourgogne.
Villon, *Le Lais;* Antoine de la Sale, *Le Petit Jehan de Saintré;* Marsile Ficin, *Institutiones platonicae.*
Paolo Uccelo peint les *Batailles de San Romano.*
1457. René d'Anjou, *Le Cœur d'amour épris.*
Donatello : saint Jean-Baptiste.
1458. Les Turcs occupent Athènes ; Pie II pape.
David Aubert, *Les Conquêtes de Charlemagne;* E. Marcadé, *La Vengeance Jésus-Christ.*
1459. Jean Milet, *La Forêt de Tristesse.*
Jean Fouquet peint Jean Juvénal des Ursins ; entre 1459 et 1463, Benozzo Gozzoli fait les peintures de la chapelle des Médicis.

1460. Mort d'Antoine de la Sale.
Filippo Lippi achève les fresques du Dôme de Prato. Danse macabre de La Chaise-Dieu.

1461. Mort de Charles VII ; Louis XI roi. Chute de l'empire grec de Trébizonde.
Villon, *Le Testament ;* sottie des *Menus Propos ;* entre 1461 et 1465, Jean Meschinot, *Les Lunettes des Princes.*

1462. Ivan III, grand-duc de Moscou.
Van der Weyden peint *Le Triptyque des Rois Mages.*

1463. Naissance de Pic de la Mirandole ; Jean Miélot traduit Roberto della Porta ; Marsile Ficin commence sa traduction de Platon.

1464. Ligue du Bien Public dirigée contre Louis XI.
Raoul Lefèvre, *Recueil des troyennes histoires.*

1465. Mort de Charles d'Orléans. Bataille de Montlhéry.
Impression de *L'Ars moriendi* à Cologne.
Henri Baude, *Testament de la Mule Barbeau.*

1466. Naissance d'Érasme. Chaire de grec à l'Université de Paris.
Jean de Bueil, *Le Jouvencel.* Entre 1456 et 1467, les *Cent Nouvelles nouvelles. Le Livre de Maistre Regnart,* de Jean Tassenax.

1467. Charles le Téméraire devient duc de Bourgogne à la mort de son père Philippe le Bon. Révolte de Liège.
Naissance de Guillaume Budé.
Filippo Lippi, *Couronnement de la Vierge.*

1468. Entrevue de Péronne.
Monologue du Franc Archer de Bagnolet.

1469. Avènement de Laurent de Médicis. Isabelle de Castille épouse Ferdinand d'Aragon.
Naissance de Machiavel.

1470. Guillaume Fichet installe une imprimerie à la Sorbonne.
Livre des Faits de Jacques de Lalain. Farce du pâté et de la tarte. Traduction de Xénophon en français.
Fouquet peint les *Antiquités judaïques* et Botticelli *Judith.*

1471. Naissance d'Albert Dürer.
Mystère de la Passion d'Autun.

1472. Philippe de Commynes passe au service de Louis XI.
Martial d'Auvergne, *Les Vigiles de Charles VII.* Traduction des *Commentaires* de César.

1473. Naissance de Copernic.
Theseus de Cologne

Botticelli, *Saint Sébastien;* Martin Schongauer, *La Vierge au buisson de roses.*

1474. Naissance de l'Arioste.
Marsile Ficin, *De christiana religione.*
Commencement de la Chapelle Sixtine.

1475. Fin de la guerre de Cent Ans, entrevue de Picquigny entre Louis XI et Edouard IV d'Angleterre. Naissance de Michel-Ange et de Grünewald.
Sixte IV ouvre au public la Bibliothèque vaticane.
Miracles de sainte Geneviève. Les Évangiles des Quenouilles.
Verrocchio, *David.*

TABLE

PUBLICATIONS NOUVELLES

ANSELME DE CANTORBERY
Proslogion (717).

ARISTOTE
De l'âme (711).

ASTURIAS
Une certaine mulâtresse (676).

BALZAC
Un début dans la vie (613). Le Colonel Chabert (734). La Recherche de l'absolu (755). Le Cousin Pons (779). La Rabouilleuse (821)

BARBEY D'AUREVILLY
Un prêtre marié (740).

BICHAT
Recherches physiologiques sur la vie et la mort (808).

CALDERON
La Vie est un songe (693).

CHRÉTIEN DE TROYES
Le Chevalier au lion (569). Lancelot ou le chevalier à la charrette (556).

CONDORCET
Cinq mémoires sur l'instruction publique (783).

CONFUCIUS
Entretiens (799).

COUDRETTE
Le Roman de Mélusine (671).

CREBILLON
La Nuit et le moment (736).

CUVIER
Recherches sur les ossements fossiles de quadrupèdes (631).

DA PONTE
Don Juan (939). Les Noces de Figaro (941). Cosi fan tutte (942).

DANTE
L'Enfer (725). Le Purgatoire (724). Le Paradis (726).

DARWIN
L'Origine des espèces (685).

DOSTOÏEVSKI
L'Eternel Mari (610). Notes d'un souterrain (683).

DUMAS
Les Bords du Rhin (592). La Reine Margot (798).

ESOPE
Fables (721).

FITZGERALD
Absolution. Premier mai. Retour à Babylone (695).

GENEVOIX
Rémi des Rauches (745).

GRADUS PHILOSOPHIQUE (773).

HAWTNORNE
Le Manteau de Lady Eléonore et autres contes (681).

HUME
Enquête sur les principes de la morale (654). Les Passions. Traité sur la nature humaine, livre II - Dissertation sur les passions (557). La Morale. Traité de la nature humaine, livre III (702). L'Entendement. Traité de la nature humaine, livre I et appendice (701).

IBSEN
Une maison de poupée (792). Peer Gynt (805).

JEAN DE LA CROIX
Poésies (719).

JOYCE
Gens de Dublin (709).

KAFKA
Dans la colonie pénitentiaire et autres nouvelles (564). Un Jeûneur (730).

KANT
Vers la paix perpétuelle. Que signifie s'orienter dans la pensée. Qu'est-ce que les Lumières ? (573). Anthropologie (665). Métaphysique des mœurs (715 et 716). Théorie et pratique (689).

KIPLING
Le Premier Livre de la jungle (747). Le Second Livre de la jungle (748).

LA FONTAINE
Fables (781).

LAMARCK
Philosophie zoologique (707).

LEIBNIZ
Système de la nature et de la communication des substances (774).

LOCKE
Lettre sur la tolérance et autres textes (686).

LOPE DE VEGA
Fuente Ovejuna (698).

MALEBRANCHE
Traité de morale (837).

MARIVAUX
Les Acteurs de bonne foi. La Dispute. L'Epreuve (166). La Fausse Suivante. L'Ecole des mères. La Mère confidente (612).

MAUPASSANT
Notre cœur (650). Boule de suif (584). Pierre et Jean (627). Bel-Ami (737). Une vie (738).

MUSSET
Confession d'un enfant du siècle (769).

NERVAL
Les Chimères — Les Filles du feu (782).

NIETZSCHE
Le Livre du philosophe (660). Ecce homo - Nietzsche contre Wagner (572). L'Antéchrist (753).

PASTEUR
Ecrits scientifiques et médicaux (825).

PIRANDELLO
Ce soir on improvise — Chacun son idée — Six personnages en quête d'acteur (744). Feu Mattia Pascal (735).

PLATON
Ménon (491). Phédon (489). Timée-Critias (618). Sophiste (687). Théétète (493). Parménide (688). Platon par lui-même (785).

PLAUTE
Théâtre (600).

PREVOST
Histoire d'une grecque moderne (612).

QUESNAY
Physiocratie (655).

RABELAIS
Gargantua (751). Pantagruel (752). Tiers Livre (767). Quart Livre (766).

RILKE
Lettres à un jeune poète (787).

RICARDO
Des principes de l'économie politique et de l'impôt (663).

ROUSSEAU
Essai sur l'origine des langues et autres textes sur la musique (682).

SHAKESPEARE
Henry V (658). La Tempête (668). Beaucoup de bruit pour rien (670). Roméo et Juliette (669). La Mégère apprivoisée (743). Macbeth (771). La Nuit des rois (756).

STEVENSON
L'Ile au Trésor (593). Voyage avec un âne dans les Cévennes (601). Le Creux de la vague (679). Le Cas étrange du Dr Jekyll et M. Hyde (625).

STRINDBERG
Tschandala (575). Au bord de la vaste mer (677).

TCHEKHOV
La Steppe (714).

TÉRENCE
Théâtre (609).

THOMAS D'AQUIN
Contre Averroès (713).

TITE-LIVE
La Seconde Guerre Punique I (746). La Seconde Guerre Punique II (940).

TOLSTOÏ
Maître et serviteur (606).

TWAIN
Huckleberry Finn (700).

VICO
De l'antique sagesse de l'Italie (742).

VILLIERS DE L'ISLE-ADAM
L'Eve future (704).

VILLON
Poésies (741).

VOLTAIRE
Candide, Zadig, Mécromégas (811).

WAGNER
La Walkyrie (816). L'Or du Rhin (817). Le Crépuscule des dieux (823). Siegfried (824).

WHARTON
Vieux New York (614). Fièvre romaine (818).

WILDE
Salomé (649).

GF — TEXTE INTÉGRAL — GF

1/1113-V-1995. — Imp. B.C.I., St-Amand (Cher).
N° d'édition 16004. — Novembre 1986. — Printed in France.